D1134097

LA IMAGEN DE LA MUJER EN LA NARRATIVA DE ROSARIO CASTELLANOS

CUADERNOS DEL CENTRO DE ESTUDIOS LITERARIOS

INSTITUTO DE INVESTIGACIONES FILOLÓGICAS

MARIA ROSA FISCAL

La imagen de la mujer en la narrativa de Rosario Castellanos

UNIVERSIDAD NACIONAL AUTÓNOMA DE MÉXICO
MÉXICO 1980

Primera edición: 1980

DIRECCIÓN GENERAL DE PUBLICACIONES
Impreso y hecho en México

ISBN 968-58-2862-8

CONTENIDO

Dedicatoria . . . 9
Agradecimientos . . . 11
Epígrafes . . . 13
Meditación en el umbral . . . 15
Manejo del texto . . . 19
Introducción . . . 23
Capítulo I . . . 29
"¿ Y cuál es mi lugar, señor, entre tus actos?" . . . 29
Capítulo II . . . 49
"Formas de muerte" . . . 49
Capítulo III . . . 73
"En los labios del viento he de llamarme árbol de muchos pájaros" . . . 73
Conclusiones . . . 97
Bibliografía de Rosario Castellanos . . . 107
Hemerobibliografía sobre Rosario Castellanos . . . 111
Bibliografía general . . . 117

A Françoise Perus, por su
inapreciable ayuda en la
elaboración de este trabajo.

Deseo expresar mi agradecimiento a la maestra Aurora M. Ocampo por su apoyo y por la bibliografía sobre Rosario Castellanos que se sirvió facilitarme.

Doy también las gracias a mis compañeras de trabajo en el Centro de Estudios Literarios, Celia Miranda y Germaine Calderón, por su cuidadosa revisión del texto.

La fe de Fourier, hoy ampliamente compartida, es que la mujer puesta en movimiento arrastrará mucho más al hombre de lo que él la arrastró a ella y aun de lo que se arrastró a sí mismo.

Tomás Segovia
"Fourier y la mujer"

Un día la joven *será*, y *será* la mujer, y sus nombres no significarán más lo mero contrario de lo masculino, sino algo por sí, algo por lo cual no se piense en ningún complemento ni límite, sino nada más que en vida y ser: el ser humano femenino.

Rainer Maria Rilke
Cartas a un joven poeta

MEDITACIÓN EN EL UMBRAL

No, no es la solución
tirarse bajo un tren como la Ana de Tolstoy
ni apurar el arsénico de Madame Bovary
ni aguardar en los páramos de Ávila la visita
del ángel con venablo
antes de liarse el manto a la cabeza
y comenzar a actuar.

Ni concluir las leyes geométricas, contando
las vigas de la celda de castigo
como lo hizo Sor Juana. No es la solución
escribir, mientras llegan las visitas,
en la sala de estar de la familia Austen
ni encerrarse en el ático
de alguna residencia de la Nueva Inglaterra
y soñar, con la Biblia de los Dickinson,
debajo de una almohada de soltera.

Debe haber otro modo que no se llame Safo
ni Mesalina ni María Egipciaca
ni Magdalena ni Clemencia Isaura.

Otro modo de ser humano y libre.

Otro modo de ser.

Rosario Castellanos
Poesía no eres tú

MANEJO DEL TEXTO

Como el nombre de Rosario Castellanos se cita innumerables veces a lo largo de este trabajo, hemos decidido simplificarlo reduciéndolo a las siglas RC.

Respecto a sus libros en prosa, y dadas también las múltiples alusiones a los mismos, en las notas de pie de página aparecerán con las siglas que se indican a continuación:

Album de familia	*AF*
Balún Canán	*BC*
Ciudad Real	*CR*
Los convidados de agosto	*CDA*
Juicios sumarios	*JS*
El mar y sus pescaditos	*MP*
Mujer que sabe latín. . .	*ML*
Oficio de tinieblas	*OT*
Sobre cultura femenina	*SCF*
El uso de la palabra	*UP*

Para la recopilación de su obra poética, *Poesía no eres tú*, se usarán las siglas *PNET*.

La referencia bibliográfica completa se proporciona en la bibliografía.

Los títulos de los capítulos proceden de la obra misma de Rosario Castellanos, en la siguiente forma:

CAPÍTULO I

"¿Y cuál es mi lugar, señor, entre tus actos?"	*Salomé* (poema dramático)

CAPÍTULO II

"Formas de muerte"	"Satisfacción no pedida..." (en *El uso de la palabra*)

CAPÍTULO III

"En los labios del viento he de llamarme/árbol de muchos pájaros"	"Poema 2" (de *Dos poemas*)

INTRODUCCIÓN

El propósito de este trabajo es examinar la imagen de la mujer en la narrativa de Rosario Castellanos desde un punto de vista poco utilizado por sus críticos hasta este momento: el sociológico. Esto implica una breve revisión del concepto de la mujer que ha prevalecido en México desde la Colonia, a través de autores representativos de movimientos literarios, así como un señalamiento de las condiciones socioeconómicas que han determinado su forma de vida y las relaciones con el sexo opuesto, sin pretender, por supuesto, agotar el tema de la mujer en la literatura mexicana.

En el segundo capítulo nos abocaremos al análisis de los problemas comunes a la mujer mexicana de la clase media, tal como aparecen reflejados en los personajes femeninos creados por la autora. Intentaremos luego un acercamiento a Rosario Castellanos como mujer y como escritora, con el ánimo de señalar los aciertos y las limitaciones de su pensamiento. Por último, en las conclusiones se esboza un breve panorama histórico de México desde la Revolución hasta 1940 –año en que concluye el período presidencial de Lázaro Cárdenas–, época crucial tanto en la formación del país como en el desenvolvimiento de la personalidad de la escritora mexicana.

La fama y el reconocimiento otorgados a su obra se deben principalmente a su poesía de especulaciones metafísicas y a su tratamiento del problema indigenista. Sin embargo, el análisis de su preocupación esencial –vital, pudiéramos decir– ha sido un poco descuidado o dejado a un lado, inexplicablemente, por los críticos. La falta de identi-

dad de la mujer, su carencia de vida propia, su escasa o ninguna realización, su inmersión, por una parte, en el mundo contemporáneo y por la otra, el hecho de estar subyugada por tradiciones y atavismos caducos, constituyen el fundamento de toda la prosa de Rosario Castellanos:

> si hay un hilo que corra a través de las páginas de Balún Canán, de Oficio de tinieblas, de Ciudad Real y de Los convidados de agosto no son las tierras altas de Chiapas en las que se desarrolla la anécdota ni la inconformidad y rebeldía de un grupo contra sus opresores ni, menos aún, esos opresores encerrados en una cárcel de prejuicios que no son capaces de abandonar porque fuera de ella su vida carece de sustento y sus acciones de justificación.
> No, la unidad de esos libros la constituye la persistencia recurrente de ciertas figuras: la niña desvalida, la adolescente encerrada, la solterona vencida, la casada defraudada. ¿No hay otra opción? Dentro de esos marcos establecidos, sí. La fuga, la locura, la muerte. La diferencia entre un cauce y otro de vida es únicamente de grado. Porque si lo consideramos bien, tanto las primeras como las otras alternativas no son propiamente cauces de vida, sino formas de muerte.[1]

Ya en 1950, cuando RC obtuvo su maestría en filosofía con una tesis titulada Sobre cultura femenina, era evidente que por encima de sus inquietudes existenciales y de cruzada para denunciar la injusticia imperante no sólo en Chiapas, sino en todo el país, su pensamiento tornaba una y otra vez a la mujer: su papel en la sociedad, su participación en la vida intelectual y económica de la comunidad. . . su impotencia, su frustración.

Es innegable que RC retoma en ese año, consciente y decididamente, la liberación intelectual de la mujer en México, cuyos albores se remontan a Sor Juana y que se interrumpió durante tres largos siglos. Da comienzo a algo más importante aún: la concientización de la mujer mexicana de la clase media que, al ver su imagen reflejada en un espejo, de buen o mal grado tiene que aceptar que esta imagen es real. ¿Por qué entonces pasó inadvertida su posición valiente, su denuncia?

En 1974, José Emilio Pacheco señala en el prólogo a El uso de la palabra, recopilación de algunos artículos periodísticos de RC, que

> El cambio de actitud se ha vuelto tan radical que es difícil, en este sentido, hacerle justicia inmediata a Rosario Castellanos. Cuando se relean sus libros se verá que nadie en este país tuvo, en su momento, una conciencia tan clara de lo que significa la doble condición de mujer y de mexicana, ni hizo de esta conciencia la materia misma de su obra, la línea central de su trabajo. Naturalmente, no supimos leerla.

[1] RC, "Satisfacción no pedida. . .", en *UP*, p. 229.

El peso de la inercia nos embotaba, la oscuridad de las nociones adquiridas nos cegaba, la defensa de nuestros privilegios nos ponía en guardia. [2]

Pero no sólo el hombre defendía sus privilegios de varón. La misma mujer no deseaba –y no desea quizá– aceptar la responsabilidad de su vida, de sus acciones:

En ningún momento asume lo que es esencial para la conquista de la dignidad humana, o sean las responsabilidades. No acepta cargar con nada propio, que haya hecho y de lo que tenga que rendir cuentas. Se conforma y en el fondo está feliz, con ser un ente pasivo: "la abnegada mujer mexicana de todos los 10 de mayo. . ."[3]

¿En dónde tiene su origen esta renuencia de la mujer para enfrentarse a su realidad? Para llegar a una explicación tenemos que retroceder en el tiempo y examinar, aunque sólo sea en forma breve, el papel tradicional que la mujer ha desempeñado en la sociedad mexicana desde la Colonia, y que apenas ahora empieza a transformarse.

[2] José Emilio Pacheco, Pról. a *UP*, p. 8

[3] Beatriz Reyes Nevares, "La mujer, fracaso político", en *Siempre!*, núm. 558 (4 mar., 1964), p. 41.

CAPÍTULO I

“¿Y CUÁL ES MI LUGAR, SEÑOR, ENTRE TUS ACTOS?”

En la sociedad española del siglo XVI, época en que ocurre la Conquista, imperaba, a más de un profundo espíritu religioso propio del cristianismo como visión global del mundo, el sistema de fidelidades personales característico de la sociedad feudal. De conformidad con este patrón social, el siervo debía adhesión al señor y la mujer debía esta misma adhesión al varón de la familia –padre, esposo o hermano. Salvo algunos casos excepcionales, la mujer estaba constreñida a salvaguardar el honor y el buen nombre de su señor, del cual era depositaria, ya que

> La limpieza de un linaje dependía de la conducta de la esposa o de la hija y ya no digamos la más insignificante veleidad sino la más leve sospecha de que el honor había sido mal guardado ameritaban la punición de la muerte.[1]

Por otra parte, como "entre la nobleza feudal el matrimonio solía ser un acto político, un procedimiento para incrementar los ingresos del señor feudal mediante la alianza matrimonial",[2] la mujer debía aportar una cuantiosa dote y, principalmente, cumplir con su función biológica, contribuyendo a la reproducción de la familia. Entre los vasallos, el matrimonio cumplía también un objetivo: garantizaba la permanencia en la parcela, que podía ser legada a los descendientes. Esta reproducción de la fuerza de trabajo beneficiaba al señor y al vasallo: al primero, le aseguraba el rendimiento del feudo y al segundo, la permanencia en la parcela.

[1] RC, "La participación de la mujer mexicana en la educación formal", en *ML*, p. 24.
[2] Carlos Marx, Federico Engels *et al.*, *La emancipación de la mujer*, p. 123.

Los conquistadores que arribaron a la Nueva España trajeron consigo este modo de vida, por lo que implantaron una sociedad de carácter rigurosamente feudal. Por ello, la mujer sólo podía concebirse como

> la fecunda paridora de quienes habrían de heredar las vastas encomiendas, los apellidos cada vez más largos, los títulos de nobleza, los proyectos que no alcanzaron a cumplirse en los términos de una generación, las ambiciones, los dominios, las riquezas, el poder.[3]

Las condiciones socioeconómicas de la Colonia impusieron, pues, este sistema social, que no era el más propicio para que se dieran brotes de rebeldía. Sin embargo, en la segunda mitad del siglo XVII surge Sor Juana Inés de la Cruz, interesante por dos razones fundamentales: primera, su enorme e insaciable afán de conocimientos (cabe resaltar aquí que lo importante es el movimiento hacia la cultura, independientemente de la notable erudición que llegó a alcanzar) y segunda, su autoafirmación y defensa de su condición de mujer que abarca, por ende, a todas las mujeres.

Consciente de los gustos de la corte virreinal, Sor Juana escribe una pieza teatral, *Los empeños de una casa*, típica comedia de amor y enredo conforme a las normas del teatro popular español, en la que podemos observar tanto el concepto honor-honra y su sobrevaloración como la inquietud del varón de la familia por concertar un buen matrimonio para las hijas casaderas. Por otra parte, el buen nombre y la inequívoca posición social que otorga el matrimonio no son exclusivos de la mujer, sino que incluyen al hombre, como podemos constatar en el siguiente intercambio de ideas entre don Rodrigo, padre de doña Leonor, y don Pedro, pretendiente de ésta:

> Bien habréis conjeturado
> que lo que puede, don Pedro,
> a vuestra casa traerme
> es el honor, pues le tengo
> fiado a vuestra palabra,
> que, aunque sois tan caballero,
> mientras no os caséis, está
> a peligro siempre expuesto;
> y bien veis, que no es alhaja
> que puede en un noble pecho
> permitir la contingencia;
> porque es un cristal tan terso,
> que si no le quiebra el golpe
> le empaña sólo el aliento.[4]

En el desenlace de la obra, cuando doña Leonor rehúsa terminante-

[3] RC, *op. cit.*, p. 26.
[4] Sor Juana Inés de la Cruz, *Los empeños de una casa*, p. 156.

mente contraer matrimonio con don Pedro, aunque está muy dispuesta a hacerlo con don Carlos (supuesto aspirante a la mano de doña Ana, hermana del primero), prorrumpe don Rodrigo:

> Como se case Leonor,
> y quede mi honor sin riesgo,
> lo demás importa nada;
> y así, don Carlos, me alegro
> de haber ganado tal hijo.[5]

A su vez, don Pedro, despreciado por doña Leonor, no resiente la injuria y se da por satisfecho con las nupcias de su hermana con don Juan:

> [. . .] Yo doy por bien
> la burla que se me ha hecho,
> porque se case mi hermana
> con don Juan.[6]

La figura de doña Ana llama la atención por su conducta. Al comienzo, la vemos entusiasmada con don Juan. Cuando aparece en escena don Carlos, cambia radicalmente de opinión y prefiere a este último. Finalmente, al darse cuenta de que pierde a don Carlos, opta por contentarse con don Juan. Su comportamiento veleidoso deja en claro que lo esencial es contraer matrimonio, sobre todo si ha habido una sospecha de deshonor, como lo sugiere el enredo de la obra. Además, hace resaltar cuán poca importancia tiene el marido como hombre en sí, pues el sistema social lo convierte en instrumento que sirve sólo como medio para alcanzar una posición social respetable y una realización a través de los hijos.

Si *Los empeños de una casa* revela el gusto y modas de la época virreinal, además de las condiciones sociales existentes, no es aquí donde encontramos a la sor Juana de ideas de vanguardia, sino en la "Respuesta a sor Filotea de la Cruz". En la mencionada carta la monja jerónima defiende con vigor su derecho a la educación y a la cultura. En una ocasión deploró que la superiora, "una prelada muy santa y muy cándida que creyó que el estudio era cosa de Inquisición",[7] le prohibiera tomar libro. A pesar de ello, afirma:

> Yo la obedecía (unos tres meses que duró el poder ella mandar) en cuanto a no tomar libro, que en cuanto a no estudiar absolutamente, como no cae debajo de mi potestad, no lo pude hacer, porque aunque no estudiaba en los

[5] *Ibidem*, p. 178.
[6] *Ibidem*, p. 179.
[7] Sor Juana Inés de la Cruz, "Respuesta de la poetisa a la muy ilustre sor Filotea de la Cruz", en *Obras. IV*, p. 458.

libros, estudiaba en todas las cosas que Dios crió, siviéndome ellas de letras, y de libro toda esta máquina universal.[8]

En otro momento, sor Juana lamenta que, por falta de maestras, las jóvenes permanezcan "bárbaras e incultas", ya que los padres no desean que sus hijas "tengan trato con los hombre que podrían ser sus maestros".[9] Arguye que deberían existir sabias ancianas que tomasen a su cargo la educación de estas jóvenes, pues "¿qué inconveniente tiene que una mujer anciana, docta en letras y de santa conversación y costumbres tuviese a su cargo la educación de las doncellas?"[10]

No es éste el único documento donde sor Juana, sintiéndose acosada, aboga por su libertad y por el derecho a escribir –actividad en la que también fue reprimida–, como nos lo muestran los dos cuartetos del siguiente soneto:

En perseguirme, Mundo, ¿qué interesas?
¿En qué te ofendo, cuando sólo intento
poner bellezas en mi entendimiento
y no mi entendimiento en las bellezas?

Yo no estimo tesoros ni riquezas;
y así siempre me causa más contento
poner riquezas en mi pensamiento
que no mi pensamiento en las riquezas.[11]

Podemos así aventurarnos a afirmar que sor Juana fue la primera feminista en nuestro país. Su feminismo no radica exclusivamente en tomar el partido de la mujer, como lo hace en las redondillas "Hombres necios que acusáis", o en un simple ataque a los hombres. Lo que ella sostiene es que hombres y mujeres poseen la misma capacidad intelectual y que ambos deben tener acceso al mundo de la cultura. O como dice Xirau: "Sor Juana defiende a las mujeres" y, al hacerlo, "las afirma y se afirma al afirmarlas",[12] ya que

El feminismo de sor Juana es, ante todo, afirmación de la igualdad de capacidades, tanto emocionales como intelectuales –sobre todo intelectuales–, entre los hombres y las mujeres. Para aclarar su feminismo, sor Juana invoca razones mítico-históricas (Atenea, ¿no es diosa de la sabiduría?), razones de autoridad (santas cristianas que son místicas, teólogas, historiadoras...), y encuentra razones patentes en las virreinas, sus amigas. Ante una sociedad que la

[8] *Idem.*
[9] *Ibidem*, pp. 464-465.
[10] *Ibidem*, p. 465.
[11] Sor Juana Inés de la Cruz citada por Ramón Xirau, en *Genio y figura de sor Juana Inés de la Cruz*, pp. 140-141.
[12] R. Xirau, *op. cit.*, p. 36.

entiende a medias y un "mundo" que a veces la acosa, sor Juana, más que proponer un feminismo teórico hace acto de autodefensa y de autoafirmación.[13]

Frente a la postura de avanzada de la ilustre monja, sorprende un poco que casi un siglo más tarde Fernández de Lizardi, "paladín de las masas",[14] y convencido de "que el hombre tiene aptitud para aprender, por lo que resulta nefasto que en las escuelas los niños sean tratados como bestias",[15] no tome abiertamente el partido de la mujer.

Se ha dicho que *La Quijotita y su prima* "fue escrita en pro de la superación" de la mujer y que, en esta novela, la mujer es vista "al menos parcialmente, bajo el prisma cristiano, como miembro de una especie redimida por la sangre de Jesucristo y destinada a la vida eterna",[16] lo que no impide que, desde el punto de vista fisiológico, se le siga considerando inferior al hombre:

> La inferioridad de la mujer respecto al hombre, respondió el coronel, no consiste en otra cosa que en la debilidad de su constitución física, es decir, en cuanto al cuerpo; pero en cuanto al espíritu, en nada son inferiores a los hombres, pues no siendo el alma hombre ni mujer se sigue que en la proporción intelectual sois en todo iguales a nosotros.[17]

Por otra parte, Fernández de Lizardi opina que la mujer tiene la capacidad y el derecho de ser instruida: "El aprendizaje [...] es un derecho inalienable de la mujer".[18] Luego entonces, no hay razón para que se la excluya "del conocimiento de las artes y oficios en que se ejercitan los hombres",[19] por ejemplo, del oficio de relojería. Y "Es insólito que El Pensador Mexicano expresara esta idea sobre el desempeño de oficios que la tradición negaba a la mujer" –opina María Rosa Palazón–, "Y es tanto más asombroso cuanto que en esta tierra no tuvimos una revolución industrial."[20]

En oposición a esta idea moderna, apoya la tesis de que la mujer "está destinada a conservar la especie", por lo que debe limitarse a desenvolverse en el seno del hogar y en el cuidado de la familia. O, dicho de otra manera, a ser "un medio para que el marido y los hijos sean."[21] Ahora bien, esta sujeción al hombre y este constreñimiento

13 *Ibidem*, pp. 33, 36.
14 María Rosa Palazón, Estudio prel. a *La Quijotita y su prima*, p. 14.
15 *Ibidem*, p. 10.
16 *Ibidem*, p. 11.
17 José Joaquín Fernández de Lizardi citado por M. R. Palazón, en *op. cit.*, p. 11.
18 M. R. Palazón, *op. cit.*, p. 12.
19 *Idem.*
20 *Ibidem*, pp. 12-13.
21 *Ibidem*, p. 14.

a la vida doméstica, alcanzan al campo legal y, según tal razonamiento, no es absurdo "confesar que justísimamente las mujeres son inferiores a los hombres por las leyes civiles".[22]

A pesar de que Lizardi estaba muy lejos de contemplar la implantación de un orden nuevo, sus planteamientos representan un adelanto con respecto a la concepción feudal y, aun cuando no haya podido imaginar el desarrollo posterior de sus ideas sobre la educación femenina, la capacitación de la mujer y su formación intelectual constituyen el punto de partida necesario para que ella pueda convertir la concepción ornamental de la cultura en instrumento de transformación de la realidad.

En el siglo XIX aparecen varios autores importantes que, en una u otra forma, se ocupan de la problemática femenina. Dentro del movimiento romántico consideraremos las obras teatrales *A ninguna de las tres*, de Fernando Calderón, y *El pasado*, de Manuel Acuña.[22 bis] Ambos pertenecen a la misma corriente literaria, pero se diferencian entre sí por los temas que abordan: Calderón expone sus puntos de vista sobre la educación de la mujer en tanto que a Acuña le interesa el concepto del honor y la redención de la mujer caída, además de la idealización de la mujer bajo dos formas distintas: la novia y la madre. Estos mismos temas nos permiten enlazar a Acuña con Gutiérrez Nájera y con otro destacado poeta: Manuel José Othón. Finalmente, nos detendremos en *Santa*, de Federico Gamboa, reveladora de las costumbres y moralidad de la época porfirista, que tiende un puente entre el siglo diecinueve y el veinte.

El tema central de *A ninguna de las tres* lo constituye la falsa educación de la mujer. La acción se desarrolla en el momento en que don Timoteo, padre de Leonor, María y Clara, a quienes supone haber educado muy bien, espera que don Juan, apetecible candidato a yerno, le comunique cuál es la elegida. Las tres muchachas tienen inclinaciones diversas, que las distinguen a una de la otra.

Leonor, poseída de un romanticismo absurdo, desfallece en toda la comedia a causa de una emotividad exagerada, creyendo impresionar así a don Juan. María adolece de excesiva frivolidad. Para ella carecen de importancia los libros y las ocupaciones domésticas y piensa que su vida se resolverá –naturalmente mediante el matrimonio– gracias a su belleza y esmerado acicalamiento. Clara, pseudointelectual, cita constantemente a los autores latinos, con la pretensión de ser experta en los debates legales y cuestiones políticas que se discuten en la ciudad.

22 J. J. Fernández de Lizardi citado por M. R. Palazón, en *op. cit.*, p. 16.

22 bis Independientemente de la posición que la crítica contemporánea ha asumido con relación a la obra poética de Manuel Acuña, no hay duda de que la divulgación que este autor alcanzó, principalmente entre las clases medias, lo hace una referencia obligada, desde el punto de vista de la sociología de la literatura, para el tema de la imagen de la mujer en la poesía mexicana del siglo XIX.

Los padres creen haber cumplido bien con la obligación de darles una buena educación y doña Serapia, madre de las jóvenes, recuerda que la suya consistió en aprender los mandamientos, el catecismo de Ripalda completo, el bordado en blanco y la preparación de un puchero excelente. La comedia concluye cuando don Juan hace saber a don Timoteo que ninguna llena los requisitos para ser su esposa, circunstancia que Calderón aprovecha para hacernos conocer su modo de pensar respecto a la educación de la mujer, valiéndose de don Antonio, amigo de don Timoteo y único personaje sensato de la obra:

Lo he dicho a usted, y de nuevo
lo repito. Usted adopta
un gran error, suponiendo
en sus hijas, cual virtudes,
lo que sólo son defectos.
La falsa instrucción de Clara;
de Mariquita ese genio
ligero que no se fija
en cosa alguna; el exceso
de la sensibilidad
de Leonor, don Timoteo,
son faltas, y faltas graves,
a que usted debiera, cuerdo,
haber atajado el curso;
un hombre de juicio recto,
elegirá por esposa
una mujer que cumpliendo
su deber, cuide su casa;
que cultive su talento
con gusto; que si dedica
a la lectura algún tiempo,
no quiera pasar por sabia;
que no esté siempre gimiendo
por personajes ficticios;
que no ocupe su cerebro
solamente con las flores,
los bailes y el coliseo;
ser sin ficciones sensible;
ser instruida, sin empeño
de parecer literata.
La compostura, el aseo,
usar sin afectación,
y vivir siempre cumpliendo
las dulces obligaciones
de su estado y de su sexo:
¡He aquí una joven amable!
he aquí, amigo, en mi concepto,
las virtudes de una esposa.[23]

[23] Fernando Calderón, *A ninguna de las tres*, pp. 194-195.

¿En qué consiste, entonces, la buena educación de la mujer? Pues en la instrucción discreta, el recato, la compostura y, sobre todo, en el conocimiento de las labores hogareñas. Todo ello, aunado al cumplimiento de las "dulces obligaciones" propias del sexo femenino, constituye las "virtudes de una esposa". O, dicho de otra manera, todas estas "virtudes" constituyen la "cultura" que *adorna* a la mujer, como la mujer es *adorno* de su marido, ya que

> Totalmente ociosa, dedicada sólo a su arreglo personal, como ser humano la burguesa queda reducida a ser un objeto de lujo, cuya principal función es la de ser el escaparate a través del cual se mide el prestigio y poder del marido.[24]

Si la educación femenina sirvió de tema a la comedia de Calderón, Manuel Acuña, en *El pasado*, desarrolla uno distinto: la rehabilitación de la mujer que ha perdido el honor de acuerdo con los cánones tradicionales. Aquí el autor presenta el caso de Eugenia, joven de escasos recursos, quien, para alimentar a su madre moribunda, se convierte en amante del acaudalado don Ramiro; la madre fallece poco después, sin enterarse de lo sucedido. Más tarde la muchacha se casa en secreto con David, joven pintor, y ambos viajan a Italia donde radican cinco años; pero, a su regreso, la pareja tiene que enfrentarse al pasado. El drama concluye cuando Eugenia, rechazada por la sociedad, abandona a David para no perjudicarlo.

La crítica de Acuña, orientada principalmente al problema del honor-honra y a sus límites demasiado estrechos, no cuestiona la falta de preparación intelectual de la mujer para resolver una situación precaria mediante otros recursos: el trabajo. Su enfoque se centra exclusivamente en el planteamieno de la culpa, lo cual involucra una valoración ética propia del cristianismo como cosmogonía, mas con posibilidad de redención:

> Sí: yo sostengo que la mujer es rehabilitable, cuando su alma se ha conservado pura, y, sobre todo, cuando su falta ha tenido por móvil, no la vanidad ni los placeres, sino un sentimiento noble y generoso, el de salvar la vida de una madre, como en ese caso.[25]

Manuel, amigo de David y portavoz del sentir de la sociedad, le recrimina por haber contraído matrimonio con Eugenia, comprometiendo así su futuro:

> Enhorabuena los principios filantrópicos, los principios de caridad y de perdón; pero eso se deja para Cristo. Un soñador, un obrero de la gloria, que tie-

[24] Rosa Marta Fernández, "Sexismo: una ideología", en *Imagen y realidad de la mujer*, p. 63.
[25] Manuel Acuña, *El pasado*, en *Obras*, p. 292.

ne necesidad del mundo para realizar sus ensueños, debe apartar a un lado esas ideas, que en el siglo diez y nueve no son más que utopías. La naturaleza de la sociedad es esa: intransigible y exigente.[26]

En cuanto a Eugenia, adopta una actitud ambivalente: por una parte, se somete al juego de la sociedad, aceptando su veredicto: "Yo soy la mancha que se extiende, el pantano que lo infecta todo, y que lo mata todo"[27] y, por la otra, se siente víctima: "¡La sociedad es muy severa! ¡Juzga y sentencia sin ninguna compasión para el culpable!"[28] De esta manera, al opinar que el crimen mayor de su protagonista consiste en haber transgredido las normas sociales establecidas, Acuña nos muestra a la sociedad tradicional en plena transformación.

Como Acuña no podía sustraerse al influjo de su siglo, dedicado a ensalzar a la mujer como medio para la reproducción de la especie o musa inspiradora, era de esperarse que también cantara a la mujer-madre, que para él es "como un dios". Ahora bien, la idealización de la mujer asume dos formas distintas, la madre y la novia, pero en cierta forma desprendidas de la materialidad. Este alejamiento de la realidad se da en Acuña con un matiz exagerado: le hace anhelar integrarse a la mujer amada sin separarse de la madre, en una simbiosis imposible de alcanzar. Sólo así podemos comprender que haya escrito:

¡Qué hermoso hubiera sido vivir bajo aquel techo,
los dos unidos siempre y amándonos los dos;
tú siempre enamorada, yo siempre satisfecho,
los dos una sola alma, los dos un solo pecho,
y en medio de nosotros, mi madre como un dios![29]

Puede reprochársele a Acuña su romanticismo trasnochado que borda en la cursilería, pero no por esto debemos dejar de reconocer sus intentos de crítica social. En su obra encontramos ya bien delineados los tres arquetipos femeninos –novia o esposa ideal, madre y prostituta– que serán después ampliamente desarrollados en nuestra literatura, ya que la mujer "Puede ser la madre (que todo los sufre), la esposa (que todo lo perdona) o la prostituta (que todo lo degrada)".[30] Veamos ahora cómo se dan estos tres tipos de mujer en la producción literaria de Manuel Gutiérrez Nájera.

Elitista y tradicional, este escritor no nos depara ninguna sorpresa. Partidario de las instituciones de la sociedad oligárquico-burguesa y defensor de los dogmas seculares de honor-honra e inviolabilidad del matrimonio, se preocupa en especial por el buen nombre del marido.

26 M. Acuña, *op. cit.*, p. 329.
27 *Ibidem*, p. 312.
28 *Ibidem*, p. 318.
29 M. Acuña, "Nocturno", en *Obras*, pp. 191-192.
30 Carlos Monsiváis, "Sexismo en la literatura", en *Imagen y realidad de la mujer*, p. 107.

Para él, las mujeres sólo pueden existir o dentro del hogar o en el ambiente cortesano, aunque la hetaira puede ser redimida mediante la maternidad, porque "la mujer necesita ser madre o cuando menos parecerlo".[31]

El estreno en México de la comedia *Francillon*, de Alejandro Dumas hijo, le brinda ocasión de exponer sus puntos de vista sobre el matrimonio y el adulterio, temas desarrollados en la obra. El honor y la reputación del marido están depositados en la esposa; luego entonces, "la mujer del hogar es inviolable y es sagrada"[32] y, para preservar estas virtudes, "debe ser invulnerable como Aquiles, y más que Aquiles todavía",[33] lo que lleva implícito una abierta condena del adulterio:

> ¿Se necesita el acto material para que el hombre pueda considerarse escarnecido? ¡Pero si la menor palabra, la menor sonrisa, la menor mirada, bastan para empañar el limpio espejo de la honra! La mujer del hogar, como la mujer de César, no debe ser siquiera sospechada.[34]

A pesar de estas exigencias, acepta que existe una evidente desigualdad de derechos dentro del matrimonio, pero, a tono con su época y medio social, afirma: "La igualdad en el matrimonio no puede existir, porque el matrimonio es un contrato sustancialmente desigual."[35] Esta desigualdad se origina, por una parte, en "la impremeditación con que el matrimonio se concierta"[36] y, por la otra, en la actitud de las mujeres: "¿por qué reciben sin dificultad al marido que ha merodeado o merodea fuera del hogar y rechazan indignadas a la esposa que falta?"[37] Estas consideraciones de tipo moral nos permiten concluir que Gutiérrez Nájera no advierte los fundamentos económicos del matrimonio ni que la posición desventajosa de la mujer no se debe a circunstancias biológicas o morales, sino socioeconómicas y culturales y a la estructura misma de la sociedad.

Sin embargo, concede que la mujer debe recibir instrucción y que "es necesario llevar la luz de la enseñanza hasta las últimas clases de la sociedad; para que la mujer comprenda toda la santidad y trascendencia de sus deberes; para formar buenas madres y buenas esposas, que a su vez formarán buenos ciudadanos".[38] O sea, su criterio res-

[31] Manuel Gutiérrez Nájera, "Como mueren", en *El Partido Liberal*, t. XI, núm. 1923 (9 ago., 1891), p. 1, firmado "El Duque Job".

[32] M. Gutiérrez Nájera, "Variedades. Humoradas dominicales", en *El Partido Liberal*, t. II, núm. 278 (17 ene., 1886), p. 2, firmado "El Duque Job".

[33] *Idem.*

[34] *Idem.*

[35] M. Gutiérrez Nájera, "Humoradas dominicales", en *El Partido Liberal*, t. V, núm. 1017 (29 jul., 1888), p. 2.

[36] *Idem.*

[37] *Idem.*

[38] M. Gutiérrez Nájera, "Margarita", en *Cuentos y cuaresmas del Duque Job*, p. 153.

ponde a los postulados de la ideología dominante que ha impuesto a la mujer como motivo principal de su existencia el ser esposa y madre, a la vez que se adorna la función biológica de la maternidad con "ropajes míticos destinados a mantener a la mujer enajenada en la función de madre-esposa."[39]

Las cortesanas, mujeres sin honor y sin reputación, capaces de todo pues nada tienen que perder, representan, para Gutiérrez Nájera, un mundo fascinante y seductor, lleno de sensualidad, distinto a la placidez y tranquilidad hogareñas, lo cual no impide que las llame "princesas del escándalo".[40] Cortesanas son también las actrices y cirqueras que, para anunciarse, recurren a retratos colocados aquí y allá a manera de "avisos de carnes semejantes a las galantinas que ponen en su aparador los tocineros".[41] Carne que se vende, mujeres que se consiguen con dinero, mercancía dolosa, de escaso o nulo valor, que sólo pueden ser lo que son:

> las pesetas falsas de la honradez. Hay hombres que las toman por su valor representativo como hay otros que admiten por ignorancia o por descuido las monedas de estaño o contrahechas; pero el ojo avizor de quien observa el carnaval eterno de la vida, descubre desde luego un punto negro en esas caras marrulleramente recatadas, algo como la huella que deja en el papel una mancha de tinta, aunque la hayan raspado con la goma.[42]

La diferencia de posición entre Gutiérrez Nájera y Acuña sobre este punto es evidente: mientras el primero condena a la hetaira, el segundo la acepta como ser humano. Esta disparidad de pensamiento nos permite, por otra parte, apreciar el cambio que se estaba gestando en la mentalidad de la época como consecuencia de la transformación socioeconómica del país.

A finales del siglo diecinueve, concretamente en 1880, se produce la inserción de México, así como de la mayoría de los estados de América Latina, en la sociedad capitalista mundial como país dependiente, es decir, exportador de materias primas e importador de productos manufacturados. Este cambio de las estructuras económicas provoca el resquebrajamiento de la sociedad aristocrática colonial que no sufre, sin embargo, una transformación estructural, sino una refuncionalización de acuerdo con las exigencias del mercado mundial. Esta situación contribuye a la transformación del sistema de valores de los sectores dominantes, para los cuales el dinero adquiere

[39] Margarita de Leonardo, "La mujer y las clases sociales en México", en *La mujer: explotación, lucha, liberación*, p. 4.

[40] M. Gutiérrez Nájera, "Crónicas kaleidoscópicas", en *La Libertad*, año VII, núm. 35 (17 feb., 1884), p. 2, firmado "El Duque Job".

[41] M. Gutiérrez Nájera, "Ya no canta la Patti", en *El Partido Liberal*, t. IX, núm. 1476 (9 feb., 1890), p. 1, firmado "El Duque Job."

[42] *Vid.* n. 40.

cada vez mayor importancia a medida que se van desarrollando sus prácticas mercantiles.

Al establecerse una nueva jerarquía de valores, se altera la dualidad alma-cuerpo, propia de la concepción cristiana del mundo, cuyo fundamento religioso tiende a desplazarse hacia el campo de lo estético. Surge entonces lo que se conoce como sensualismo metafísico, contradicción propia del período de transición representado por la época de Díaz. El alma se transforma en la mujer ideal, etérea, inmaterial y casta: " ¡Qué blanca, mi amada, qué blanca eres tú",[43] a la vez que en símbolo de la belleza, con todos los atributos del lujo de la clase dominante:

> ¿De qué país color de rosa vienes?
> ¿En dónde ¡oh diosa! levantaste el vuelo?
> ¡Algo de Olimpo en la belleza tienes,
> y en tu excelsa virtud mucho del Cielo![44]

Pero la mujer posee también un cuerpo, que se convierte en símbolo de la materialidad y, como materia, algo que puede comprarse. Al deplorar la degradación que implica el uso del dinero, se sanciona a la prostituta que hace de su cuerpo, y eventualmente de su belleza, una mercancía:

> Comercia con tus gracias, trafica tus hechizos
> y vende cuanto puedas;
> si amante me recibes, el oro de tus rizos
> convertiré en monedas.[45]

Esta fascinación/repulsión por la "carne" –perceptible en la lírica modernista– se resuelve, en Gutiérrez Nájera, conforme al sensualismo metafísico: la mujer ideal y la cortesana. Al venderse, esta última deja de ser la dualidad alma-mujer para convertirse en objeto que puede comprarse. Por el contrario, la mujer ideal –como Enriqueta, de quien se enamora Juan el organista– semeja un "ángel vestido de sus propias alas" o "una madre; pero una madre doblemente augusta: madre y virgen."[46]

A su vez, Manuel José Othón evoca al "ángel-mujer" que se le aparece "*bañada en el fulgor puro y divino/con que Dios a los ángeles reviste*".[47] La amada, hermosa "*como Venus brotando de la espuma*"[48] provoca en el poeta un embeleso teñido de pasión erótica:

[43] M. Gutiérrez Nájera, "De blanco", en *Poesías completas. II*, p. 169.
[44] "A Isabel", en *Ibidem*, *I*, p. 367.
[45] "Tres amantes", en *Ibidem*, *II*, p. 103.
[46] M. Gutiérrez Nájera, "Juan el organista", en *Cuentos completos y otras narraciones*, p. 275.
[47] Manuel José Othón, "A Esther", en *Poesías completas*, p. 308.
[48] "La mujer", en *Ibidem*, p. 314.

Al mirarte tan bella, mis enojos
se truecan en placer y arrobamiento,
y en medio a mi pasión siento en mi frente
de tus besos de amor el fuego ardiente.[49]

Y nace la pasión humana, aunque el bardo insiste en recalcar la cualidad divina de la mujer:

Eres un ángel tú; si el hombre osado
en ti llegó a mirar en su delirio
el instrumento vil de sus placeres
y te brindó la palma del martirio,
hoy te proclama ya, reina del mundo,
el más santo y hermoso de los seres.[50]

Como Gutiérrez Nájera, Othón canta a la mujer casta, cuya alcurnia y belleza merecen el respeto del trovador. Entre dama y poeta existe una distancia que éste observa con fidelidad. Por ello, nos inclinamos a pensar —siguiendo la crítica que Françoise Perus ha hecho de la lírica dariana— que se trata de una trasposición "al plano de la ficción amorosa [de] los lazos de vasallaje que en la sociedad tradicional unían al poeta con los sectores dominantes"[51] y cuya desaparición es deplorada:

Si mi divina emperatriz tú eres,
porque mi amor te rinde vasallaje,
yo quiero ser tu emperador, ¿lo quieres?
y ríndeme a la vez pleito homenaje.[52]

O como expresa Gutiérrez Nájera:

Cuánto me apiado de los esclavos
¡y no medito que eres mi dueño!
Odio cadenas, ¡y me las ciño!
Combato reyes, ¡y soy tu siervo![53]

Finalmente, para Othón la madre es la "*Blanca estrella que fulgura/en la noche de la vida*", cuyo solo nombre "*encierra todo un cielo/ de esperanzas y de amor*"; cual deslumbrante luz, ha sido investida del poder de iluminar "*con sus rayos/este abismo de dolores*".[54] Como Acuña, gime a la muerte de su madre y exclama: "*Lloro porque al perderte para siempre/mi único bien sobre la tierra pierdo.*"[55]

49 "Pasión", en *Ibidem*, p. 310.
50 "La mujer", en *Ibidem*, p. 314.
51 Françoise Perus, *Literatura y sociedad en América Latina: el modernismo*, p. 102.
52 M. J. Othón, "Si mi divina emperatriz", en *op. cit.*, p. 452.
53 M. Gutiérrez Nájera, "De amores", en *Poesías completas. II*, p. 49.
54 M. J. Othón, " ¡Madre!", en *op. cit.*, p. 79.
55 "A mi madre", en *Ibidem*, p. 117.

De los tres arquetipos femeninos comunes a la literatura mexicana –novia o esposa ideal, madre y prostituta–, hasta ahora hemos intentado un somero análisis de la madre y de la mujer ideal. Examinemos a continuación *Santa*, que encarna, en nuestro país, al tercer arquetipo.

Al igual que Gutiérrez Nájera, Gamboa equipara la "carne sana de las rameras" con las "manadas de reses" que sirven de alimento a la gran ciudad, en tanto que los prostíbulos aparecen como "los mataderos insaciables de los grandes centros",[56] a donde acuden los magnates del México porfirista. Hay, sin embargo, en Gamboa una intención crítica.

Consciente de la situación de México dentro del orden capitalista mundial y de las lacras de la sociedad urbana, Gamboa permite que ésta ocupe un primer plano en su novela. *Santa* es algo más que la historia de una prostituta: es un enjuiciamiento de la "hipócrita y falsa moral burguesa",[57] que con sus normas elásticas y aparenciales favorece la existencia de seres como Santa, Hipólito, la Gaditana.

En el prólogo al *Diario de Federico Gamboa*, y refiriéndose a *Santa*, José Emilio Pacheco señala dos conceptos que permiten enfocar esta novela desde un punto de vista sociológico. Menciona, en primer lugar, que

> En México, a partir de la segunda generación romántica, la prostituta es considerada la versión femenina del artista, víctima como él de la arrogancia, el egoísmo y la inhumanidad del mundo burgués.[58]

En segundo lugar,

> La prostituta resulta el producto quintaesenciado del capitalismo por ser simultáneamente "vendedora y mercancía" [...], actriz y teatro en que se desarrolla por una cantidad fija un espectáculo para un cliente que tiene el privilegio, no concedido a quienes asisten a la comedia, de ser el principal participante.[59]

Además, el burdel es el escenario donde se representa un

> Psicodrama en que el hombre deja a las puertas respetabilidades e inhibiciones, y puede actuar o hacer actuar sus fantasías, [donde] el "comercio carnal" es un intercambio que deshumaniza y cosifica la más humana de las relaciones.[60]

Santa es, pues, una prostituta. Como tal, es una mujer degradada

56 Federico Gamboa, *Santa*, p. 355.
57 *Ibidem*, p. 302.
58 José Emilio Pacheco, Pról. a *Diario de Federico Gamboa*, p.24
59 *Idem.*
60 *Idem.*

que se vende por dinero, o sea, una mercancía. Y aquí, una vez más, podemos apreciar la reproducción, en otro nivel, de las relaciones sociales imperantes. La relación hombre-mujer aparece como la de opresor-oprimido, pero en igual forma oprime la clase dominante a la dominada, la cual vende su fuerza de trabajo por dinero –valor de cambio del capitalismo– y de la misma manera actúan los países metropolitanos hacia los de la periferia. O como dice Pacheco:

> En la prostitución los hombres (que tienen el dinero) usan a las mujeres (que no lo tienen) como las metrópolis a las colonias, la capital a las provincias, el hacendado a los peones: como algo a un tiempo necesario e intrínsecamente despreciable.[61]

Así, Santa es digna de repudio y Gamboa la mira con una mezcla de conmiseración y menosprecio. No obstante, admite que la sociedad coadyuva a la prostitución, sin desconocer tampoco la doble moral que aqueja al mexicano: la "casa chica" o la querida de planta al lado del hogar y la esposa legítima. Tal sucede con Rubio, en quien se operaba

> un fenómeno común y explicable, por mucho que Santa no se lo explicase: víctima de la amargura con que lo obsequiaba su hogar tambaleante, supuso que una querida de los puntos de Santa mitigaría su duelo y le proporcionaría los dulces goces a que se consideraba acreedor. En lugar de pretender una compostura en su matrimonio –tan mal avenido como la inmensa mayoría de los matrimonios–, gracias a la moral acomodaticia con que nos juzgamos y absolvemos de todos nuestros actos reprobables, echólo a un lado y él se encaminó, cual persona con enfermo en casa y que maquinalmente se dirige a una farmacia en solicitud de un remedio de paga, al burdel, por principio, al amancebamiento después, convencido de que ahí guardábase el medicamento, fácil de ingerir por otra parte, y sabrosísimo al paladar.[62]

Rubio, sin ningún escrúpulo de conciencia, establece una clara distinción entre su esposa y su querida, que significan para él "dos afectos diversos y compatibles":[63] a la esposa le corresponden el respeto y la categoría social mientras la pasión sensual se reserva para la querida.

Todavía más humillante para la mujer resulta una "verdad leída no sabía [Rubio] dónde", que decreta: "entre las mujeres no existen categorías morales, no existen sino categorías sociales. Todas son mujeres!.."[64] Luego entonces, para Gamboa y para muchos más, la mu-

61 *Idem.*
62 F. Gamboa, *op. cit.*, pp. 300-301.
63 *Ibidem*, p.302.
64 *Idem.*

jer está siempre en venta: o mediante el matrimonio o mediante el dinero.

Se ha acusado a Gamboa de hacer "sociología sentimental" y de que su "prédica social [...] está montada, en realidad, sobre una visión sentimental de la existencia."[65] Aunque así fuera –y a pesar de que siempre se ha querido ver en *Santa* sólo una novela pornográfica o el relato de lo que suele acontecer a las muchachas pobres, ignorantes y desorientadas que llegan a la ciudad–, no podemos menos de reconocer que la incipiente crítica social está ahí.

Llegamos así a los albores de la Revolución. A partir de ese momento México será un país diferente. La sociedad sufre un cambio: pasa del latifundismo al capitalismo, de rural a urbana, de agrícola a industrial. Ahora conviene detenernos en Mariano Azuela, figura notable en la novela de la Revolución, y que nos presenta dos personajes femeninos típicos: Marcela, protagonista de *Mala yerba*, y Conchita, esposa de Dionisio, en *La luciérnaga*, unidas por un rasgo común: la sumisión.

Como *Mala yerba* tiene por base un suceso real, podemos suponer que en el ambiente rural deben haber existido –y seguramente existen todavía– incontables mujeres que ante "la inexorable fuerza de quien sabe que tiene que ser obedecido"[66] –en este caso, Julián Andrade–, se comportan con sencilla obediencia. Aun cuando es obvio que Marcela sigue un doble juego en su relación con Julián, incitándolo y rechazándolo a la vez, es evidente también que sobre ella pesaba "el poder tremendo de la arrogante raza de violadores a quienes jamás ninguna de sus víctimas entregó a la justicia."[67] Ella no podía desafiar a Julián porque veía en él algo más que un hombre: "el amo omnipotente que se adueña de la mujer que se le antoja sin la más leve resistencia."[68] Por eso, llegado el momento de la venganza, cuando debe acusar implacable al asesino de su abuelo y de Gertudris, se hunde en un silencio avergonzado que le impide expresar en palabras su pensamiento.

En Marcela encontramos, por tanto, una doble sumisión: en primer lugar, su condición de mujer la coloca en desventaja frente al hombre y, en segundo, su categoría social de vasallo no le permite rebelarse ante el patrón.

Al comienzo de la novela, Azuela nos describe el juego en que participará Marcela, que es

> la muchacha sensual y sabedora del poderío de su carne fresca y sabrosa; la mujer ardiente que provoca conflictos porque en ellos se recrea, que lleva

65 Joaquina Navarro, *La novela realista mexicana*, p. 307.
66 Mariano Azuela, *Mala yerba*, p. 52.
67 *Idem.*
68 *Idem.*

al peligro a sus adoradores para solazarse en él; refinada en el vicio y con la intuición de que la temeridad fustiga el deseo e intensifica el placer.[69]

Párrafo que permite a Adalbert Dessau concluir que la actitud de Azuela "concuerda con la interpretación pequeño-burguesa de la mujer como perversa seductora que da al traste con una vida ordenada."[70]

Comparada con Marcela, mujer fogosa y sensual, Conchita es pasiva, apática, indiferente. Su cosificación llega al grado que

Sumisa y obediente, es más que una criada y menos que una criada [...] Una escoba, una silla, cualquier mueble que uno mira al pasar –si es que acaso lo mira–. El sol llena con su luz la casa y con su ausencia todo lo llena de sombra. Pero como ha de salir al otro día, nadie lo extraña ni se lo agradece.[71]

Sólo una vez toma la iniciativa: a la muerte de su hija María Cristina, abandona a Dionisio y regresa al campo con el afán de salvar a sus hijos más pequeños.

Como la novela concluye con un final pleno de emotividad –Conchita regresa al lado de Dionisio que espera confiado su retorno: "Me *latía* que tendrías que volver..."–, se ha querido ver en esta obra un homenaje a la esposa "cristiana que sigue a su compañero, así esté lacrado por las enfermedades, por la miseria, por el vicio, o por el crimen mismo."[72] Opinión que refuta el mismo Dessau ya que, a su juicio, "tal pensamiento cubre sólo seis de las cien páginas de la novela", por lo que "semejante interpretación ni siquiera sería aplicable al final."[73]

Un acercamiento más objetivo nos permitiría observar en *La luciérnaga* los procesos sociales que se estaban llevando a cabo: por ejemplo, la transformación del México rural en urbano.

A la muerte de don Bartolo, acaudalado personaje de la sociedad de Cieneguilla, Dionisio y su hermano José María heredan la fortuna de su padre. José María prefiere conservar las propiedades y los muebles, así como vivir en provincia; más tarde se convierte en el avaro del pueblo. En cambio, Dionisio opta por recibir $ 15,000, y emigra a la capital acompañado de Conchita y sus hijos. Ingenuo, Dionisio es presa fácil de los embaucadores de la ciudad, quienes se aprovechan de su candidez. Tras sus fracasos, busca refugio en el alcohol. Comienzan las desgracias de la familia y María Cristina, la hija mayor, es arrastrada a la prostitución. Muerta ésta, y con objeto de salvar a

69 *Ibidem*, p. 49.
70 Adalbert Dessau, *La novela de la Revolución Mexicana*, p. 186.
71 M. Azuela, *La luciérnaga*, en *3 novelas de Mariano Azuela. La Malhora, El desquite, La luciérnaga*, p. 155.
72 *Ibidem*, p. 173.
73 A. Dessau, *op. cit.*, p. 256.

sus hijos menores, Conchita decide regresar a Cieneguilla, donde es vista con desconfianza por los habitantes del pueblo, situación que se agrava porque ella ya no puede compartir el criterio estrecho de estas gentes. Urbe y provincia entran así en conflicto: la ciudad, ya dentro del régimen capitalista, aparece como lo hostil y lo desconocido, pero la provincia no es menos hostil por sus prejuicios y fanatismo.

Dessau considera que es más acertado pensar que en esta novela Azuela "narra cómo un hombre sencillo, deseoso de asegurar el pan de su familia, resulta víctima de las tendencias capitalistas del México posrevolucionario"[74] y señala que si *La luciérnaga* se apega a la realidad, se debe "sin duda [a] la simpatía que Azuela tuvo siempre por el hombre del pueblo, y que le servía de norma para juzgar las condiciones sociales de México."[75] Por último, sustenta la tesis de que esta obra "quiere ser una descripción crítico-realista de la sociedad mexicana de los veintes"[76] y que resulta "infundado suponer que [...] glorifica a la mujer sumisa y abnegada."[77]

El mundo provinciano de las últimas novelas de Azuela no puede haber sido muy diferente de aquél en el que transcurrieron los años formativos de Rosario Castellanos. A ella le tocó vivir los comienzos del México moderno, la implantación de las medidas cardenistas sobre el régimen de tenencia de la tierra, con todos los procesos socioeconómicos inherentes. Le tocó presenciar también los pasos vacilantes de la mujer mexicana en pos de su liberación, el derecho al voto, la incorporación al trabajo económicamente productivo, el derecho al estudio. En una palabra, su autoafirmación. Acerquémonos ahora a su obra y tratemos de aprehender su visión del mundo y de la mujer en particular.

[74] *Ibidem*, p. 257.
[75] *Idem.*
[76] *Ibidem*, pp. 256-257.
[77] *Ibidem*, p. 256.

CAPÍTULO II

“FORMAS DE MUERTE”

La falta de identidad, la soltería y el matrimonio-maternidad –este último como única forma de realización femenina– son los tres ejes principales que se cruzan y entrecruzan en la narrativa de RC. Todos convergen en un punto común: la conflictividad de la relación hombre-mujer. Por encima de esta problemática general aparece el tema principal: la soledad intrínseca del ser humano, su incomunicación y su aislamiento.

¿Cuál de estos tres ejes trata la autora con mayor relieve? Sin duda, la falta de identidad, derivada de una personalidad mal estructurada y dependiente. Es decir, es la consecuencia de la imposición de ciertos patrones de conducta frente a los cuales la mujer ha sido impotente. Porque, como indica Karen Horney, "la causa de la neurosis no es tanto un conflicto interior como la resonancia interna de un conflicto que existe en la sociedad, entre las diversas normas que impone al individuo."[1]

Se ha dicho que la ancestral y pretendida desigualdad hombre-mujer carece de fundamento biológico. Tampoco puede atribuirse a una supuesta inferioridad intelectual o a lo que ha dado en llamarse personalidad o carácter femenino: la pasividad, la sumisión y la abnegación. En realidad,

La disigualdad de la mujer ante el hombre, su posición socialmente inferior, es

[1] Karen Horney citada por Mikel Dufrenne, en *La personalidad básica. Un concepto sociológico*, p. 24.

producto de la estructura, de la estructura misma de la sociedad [y] se inserta en la división del trabajo que impone el sistema, según la cual su trabajo no es considerado como tal, sino como parte de las funciones que, por el simple hecho de ser mujer, le corresponde desempeñar.[2]

Esta división del trabajo, que deja sin remuneración las labores domésticas al no considerarlas como trabajo social, se ve reforzada por las normas jurídicas, ideológicas y educativas de la superestructura, las cuales fomentan y apuntalan los prejuicios existentes y la discriminación de la mujer.

Si sólo mediante el matrimonio-maternidad puede la mujer alcanzar una cierta realización, es obvio que la soltería *per se* la coloca en situación humillante. Si recordamos, igualmente, que en el momento histórico en que ocurre la acción de los relatos, le estaba casi totalmente vedado el trabajo como medio de ganarse la vida y que dependía del varón de la familia, al descrédito social había entonces que agregar la dependencia económica, de la que se le hacía responsable. Las normas sociales establecidas eran incuestionables.

En cuanto a la falta de identidad, proviene de la estructura tradicional de la sociedad, que traba el desarrollo de la personalidad. Al debatirse entre la norma social –que, como señala Dufrenne, "es todavía el mejor medio de ser normal"–,[3] y la posibilidad de ser diferente, que puede implicar rechazo, la mujer resulta afectada por "el efecto que tienen las influencias sociales sobre el desarrollo de la personalidad".[4] Como está subordinada al hombre, se produce una falta de desarrollo de la individualidad subjetiva. Tiene pocas posibilidades de superación porque su horizonte está, en la mayoría de los casos, circunscrito al hogar, por lo que su contacto con el mundo exterior es limitado: se da a través de otro. Sobreviene entonces un desajuste entre la realidad y las formas de conciencia por el carácter también contradictorio de las exigencias sociales. Así, en la descripción de una conducta –o personaje literario– es necesario recurrir a factores psicológicos y sociales, y no de otro modo intentaremos el análisis de las figuras femeninas de RC.

Una primera lectura de *Los convidados de agosto* y de *Album de familia*, que podría resultar fatigosa por la marcada insistencia de la autora en la temática arriba mencionada, sirve de guía para adentrarnos en el mundo de RC. Una segunda lectura permite comprender que su objetivo es mostrar que estas "formas de muerte" –menos aparentes en *Balún Canán* y en *Oficio de tinieblas* donde el violento contraste entre indios y ladinos impresiona al lector–, impregnan todos los estratos de nuestra sociedad.

2 Margarita de Leonardo, "La mujer y las clases sociales en México", en *op. cit.*, pp. 2-3.
3 M. Dufrenne, *op. cit.*, p. 187.
4 *Ibidem*, p. 23.

En *Balún Canán* encontramos tres personajes femeninos de relieve: Zoraida, Amalia y Matilde. A las dos primeras las une la amistad en tanto que la última es prima de César, marido de Zoraida. El personaje central de la novela es la niña, cuya espontánea mirada nos revela a Zoraida, su madre, y a Amalia. El narrador omnisciente de la segunda parte introduce a Matilde y su contexto. Como madre de la niña, Zoraida es más importante para los fines de la novela. Amalia y Matilde llaman principalmente nuestra atención, ya que la soltería es tema recurrente en la obra de RC. Apenas iniciada la novela, reparamos en esta descripción:

> Apartando los visillos de la ventana, una soltera nos mira furtivamente. Tiene la boca apretada como si de la hubiera cerrado un secreto. Está triste, sintiendo que sus cabellos se vuelven blancos.[5]

Se trata de Amalia, que "mira furtivamente", con vergüenza, deseosa de pasar inadvertida. La boca se le ha cerrado con un rictus de amargura, convencida de que su indeseada soltería la hará vivir marginada y en "la ignorancia de lo que es la mujer misma",[6] porque se requiere del "mediador masculino"[7] para que la mujer conozca su propio cuerpo, el amor y la vida.

En este pasaje se habla de "una soltera", empleando el término en sentido genérico, pero más adelante se dice: "Amalia, la soltera." ¿Podría esto ser signo de que a la mujer se le describe por su estado civil y no por su manera de ser o por sus atributos? Quizás, como apunta RC, las mujeres, carentes "del principio de individuación [...], sólo resultan discernibles si se les aplican criterios ajenos a ellas mismas".[8] Así lo dejan traslucir las palabras de la niña cuando narra el viaje al rancho:

> La próxima estación es Palo María, una finca ganadera que pertenece a las primas heramanas de mi padre. Son tres: tía Romelia, la separada, que se encierra en su cuarto cada vez que tiene jaqueca. Tía Matilde, soltera, que se ruboriza cuando saluda . Y tía Francisca.[9]

A tía Francisca simplemente se le nombra. ¿Por qué? Pues porque "Desde que se quedaron huérfanas [...] tía Francisca tomó el mando de la casa"[10] y es mujer "de zalea y machete".[11] Lo que puede interpretarse: es como un hombre y actúa como tal.

[5] RC, *BC*, p. 12.
[6] RC, "La mujer y su imagen", en *ML*, p. 13.
[7] *Ibidem*, p. 15.
[8] RC, "Las 'parejas impares' de John Updike", en *MP*, p. 96.
[9] RC, *BC*, p. 69.
[10] *Idem*.
[11] *Ibidem*, p. 114.

Cuando van de visita a casa de Amalia, la niña queda impresionada porque, al abrirse la puerta, "es como si destaparan una caja de cedro, olorosa, donde se guardan listones desteñidos y papeles ilegibles".[12] En seguida, aparece Amalia:

> Lleva un chal de lana gris, tibio, sobre la espalda. Y su rostro es el de los pétalos que se han puesto a marchitar entre las páginas de los libros. Sonríe con dulzura pero todos sabemos que está triste porque su pelo comienza a encanecer.[13]

Todo parece indicar la ausencia de vida. Amalia se envuelve en un "chal de lana gris", color neutro y negación de vitalidad pero, al mismo tiempo, amoroso y cálido. La contraposición de gris y cálido nos induce a pensar que RC presenta a esta figura en el momento en que todavía le queda un hálito de vida y de esperanza, como si esta ligerísima ilusión la incitara a seguir esperando; de ahí su dulce resignación. Su cara recuerda las flores mustias y su sonrisa carece de la carcajada franca, vital. Sus cabellos canos, como el chal gris, nos hablan de la llegada de la madurez, alejando las posibilidades de contraer matrimonio. No habrá ya una maternidad y tampoco la única realización posible en ese medio.

Amalia se ha vuelto contemplativa: ve la vida pasar por la ventana, como si desde el balcón observara lo que ocurre allá abajo, y no le concerniera. Aguarda porque está condicionada para esperar siempre:

> Y la soltera aguarda, aguarda, aguarda.[14]

Se le ha educado también el conformismo y la paciencia porque el sistema social ha sentenciado, "de una vez y para siempre, que la única actitud lícita de la feminidad es la espera".[15] Mujer de acción, RC pone en tela de juicio la pasividad y la paciencia "a causa de la amenaza que estas características tradicionales presentan a la autenticidad personal, a una integración psicológica y, por lo mismo, a una dinámica participación social y política".[16]

Menos contemplativa que Amalia, Matilde espera sumergida en un ensueño:

> Era siempre en una fiesta. [...] Alquien la había elegido desde lejos y venía a invitarla a bailar. Ella veía primero sus pies, calzados de charol. Y luego el tra-

12 *Ibidem*, p. 33.
13 *Idem*.
14 RC, "Jornada de la soltera", en *PNET*, p. 175.
15 RC, "La mujer y su imagen", en *ML*, p. 14.
16 Beth Miller, "El feminismo mexicano de Rosario Castellanos", en *Mujeres en la literatura*, p. 12.

je de casimir fino y la camisa blanca y el nudo de la corbata bien hecho. Y cuando iba a verle el rostro, un grito, el aletear de los gavilanes rondando el gallinero, una puerta cerrada por un golpe de viento, algo, la despertaba. El rostro de ese hombre –el que iba a llegar, al que estaba destinada– se le ocultó para siempre.[17]

Al desvanecerse para siempre la ilusión de aguardar al que no iba a llegar, cambia de actitud y seduce a su sobrino cuando se presenta la ocasión. Sin embargo, el sentimiento de culpa la ahoga y la orilla a la muerte en un suicidio que se frustra la primera vez, para hacerse realidad ante el asesinato de Ernesto, cuando Matilde se interna en la selva y desaparece para siempre.

Para ella, la pérdida de la virginidad, fuera del matrimonio, la llena de oprobio y la pone en desventaja:

Después de todo, ¿qué había habido entre ellos? Se amaron como dos bestias, silenciosos, sin juramento. El tenía que despreciarla por lo que pasó. Ya no podía encontrar respeto para ella. Matilde se lo había dado todo. Pero eso un hombre no lo agradece, eso se paga profiriendo un insulto.[18]

A esta transgresión de las normas sociales, se suma la *culpa* religiosa: " ¡Cómo pudo suceder, Dios mío! No, no puede ser pecado. Pecado cuando se goza. Pero así. En el asco, en la vergüenza, en el dolor."[19]

Si Amalia espera y se resigna, y Matilde lucha y se destruye, otras aguardan con ilusión la feria anual del pueblo o alguna otra ocasión señalada para escapar de la soltería:

¡Cuántas [...] cuántas esperaron esta opotunidad anual para quitarse de encima el peso de una soltería que se iba convirtiendo en irremediable! Muchachas de los barrios, claro, que no tenían mucha honra que perder y ningún apellido que salvaguardar.[20]

Así piensa Emelina, heroína de "Los convidados de agosto", al acicalarse para asistir a la fiesta de Santo Domingo de Guzmán, patrono de Comitán. Ella, "una señorita decente, lo cual la eximía lo mismo de las tareas difíciles que de los peligros a que se hallaban expuestas las otras, las de los barrios, las de las orilladas",[21] carece de libertad para actuar: tiene que esperar que el hombre tome la iniciativa. Las muchachas de buena familia –pertenecientes a la pequeña burguesía–

17 RC, *BC* p. 119.
18 *Ibidem*, p. 141.
19 *Ibidem* p. 140.
20 RC, "Los convidados de agosto", en *CDA*, p. 62.
21 *Ibidem*, p. 63.

no pueden exponer su prestigio. No obstante, Emelina aprovecha la celebración en el pueblo y arriesga nombre y honor.

Con el tumulto al salir de la corrida de toros, Emelina se desmaya. Al volver en sí, se mira en brazos de un desconocido que la obliga a beber unos sorbos de comiteco. Se siente embriagada, mas no por el aguardiente, sino por la cercanía del hombre: "dilataba las narices como para que la invadiese plenamente esa atmósfera ruda, que no era capaz de definir ni de calificar, pero que reconocería en cualquier parte."[22] Conducida al kiosko-cantina, "que ninguna señorita decente pisaría",[23] apura con placer el vino que ordena el desconocido. Poco después, "–¿La llevo a su casa?", pregunta el hombre. Y la respuesta rápida: "No, claro que no. Nunca volveré allí."[24]

Frustado su intento de huir por un desafortunado encuentro con Mateo, su hermano, Emelina es violentamente arrastrada hacia su casa por un amigo de éste. Forcejeando para defender su apenas vislumbrada y ya ida libertad, "tenía que luchar, no sólo contra una fuerza superior a la suya, sino contra su propio desguanzamiento".[25] Poco a poco cesa su resistencia y llora con desesperación: "Él no. . . no me iba hacer nada malo. Sólo me iba a enseñar la vida."[26]

Como el canario al que prodiga tiernos cuidados, Emelina también languidece dentro de una jaula, mimada por los que la rodean. Entristecida por la suerte del ave, lo pone en libertad:

> El canario dio unos pasos vacilantes hacia la salida y se detuvo allí, paralizado por el abismo que lo rodeaba. ¡Volar! Batir de nuevo unas alas mutiladas mil veces, inútiles tantos años. Avizorar desde lejos el alimento, disputárselo a otros más fuertes, más avezados que él. . .[27]

Y el pajarillo regresa con pausada dignidad. Para ella, sin embargo, las puertas de la prisión se cierran de manera inexorable.

Hasta ahora hemos visto la forma como RC cuestiona los patrones sociales que obligan a la mujer soltera a vivir como un ser marginado. En "Vals 'Capricho' ", la autora va más allá: impugna los valores culturales que impiden el desarrollo de las necesidades primarias y plantea la oposición naturaleza/cultura, entendida esta última como "la sociedad en cuanto encarnada y realizada en conductas".[28]

Reinerie, "una criatura de buena índole pero en estado salvaje",[29] llega a Comitán a vivir con sus tías. Educada en las monterías, lejos

22 *Ibidem*, p. 87.
23 *Ibidem*, p. 88.
24 *Ibidem*, p. 93.
25 *Ibidem*, p. 94.
26 *Ibidem*, p.95.
27 *Ibidem*, p. 69.
28 M. Dufrenne, *op. cit.*, p. 84
29 RC, "Vals 'Capricho' ", en *CDA*, p. 35.

de los convencionalismos sociales y en estrecho contacto con la naturaleza y la vida,

> poseía unos secretos que colocaban a las comitecas en un nivel de subordinación. Estos secretos se referían a la vida sexual de los animales y también ¿por qué no? de las personas. Reinerie describía, con vivacidad y abundancia de detalles, el cortejo de los pájaros, el apareamiento de los cuadrúpedos, el cruzamiento de las razas, el parto de las bestias de labor, las violaciones de las núbiles, la inciación de los adolescentes y las tentativas de seducción de los viejos.[30]

Pero desconocía por completo las sutilezas y refinamientos de la sociedad que la rodeaba. Frente a su lenguaje directo y franco, las lugareñas respondían con una espeice de código secreto, "accesible únicamente al grupo de las iniciadas".[31] Sus amplios conocimientos sobre los hechos naturales de la vida la colocaban incluso en desventaja con los hombres, ya que éstos, para preservar su supremacía frente a la mujer, "contaban, como con un ingrediente indispensable, con su ignorancia de la vida".[32] Era entonces imposible que Reinerie pudiera incorporarse al grupo social donde su padre pretendía insertarla. Después de rechazos cada vez más dolorosos y humillantes, Reinerie, que a su llegada ostentaba "un aspecto de juventud tan floreciente, una sonrisa tan tímida [y] un rubor tan espontáneo",[33] huye sigilosamente hacia la selva, vestida de mendiga, descalza y farfullando la lengua de su madre.

"La civilización, que todo lo destruye"[34] –apunta RC–, debilitó no sólo a Reinerie, sino primeramente a sus tías y a su padre. Natalia y Julia –también solteras– vieron cómo poco a poco se desmoronaba su otrora floreciente situación económica y su prestigio social. Incapaces de adaptarse a la nueva época, continuaron aferradas a tradiciones caducas. Una vez transcurrida "esa edad en que las tentaciones pasan de largo y el destino ha cerrado ya todas su trampas, menos la última",[35] ocuparon su existencia en visitas de cumplido, devociones religiosas y uno que otro arpegio en el piano.

Con Germán, padre de Reinerie, la situación fue distinta. En vez de "ser el báculo de la vejez de sus progenitores, el respeto de sus hermanas, el sostén del hogar", era todo lo contrario: "una preocupación, una vergüenza y una carga".[36] De constitución débil, fue enviado a las monterías, donde se creía que Dios haría "su voluntad al

30 *Ibidem*, p. 43.
31 *Idem.*
32 *Ibidem*, pp. 43-44.
33 *Ibidem*, p. 35.
34 *Ibidem*, p. 31.
35 *Ibidem*, pp. 34-35.
36 *Ibidem*, p.33.

través de los rigores del clima y la rudeza del trabajo".[37] Pero operó una metamorfosis inesperada: la vida ruda al aire libre, el ejercicio físico, el trabajo pesado, lo fortalecieron. De su amancebamiento con una mestiza nació Reinerie, que creció en libertad y sin prejuicios.

En Germán se da también la oposición naturaleza/cultura: la primera vigoriza al hombre, en tanto que los patrones sociales represivos minan al ser humano. Lo que RC pretende es enjuiciar las viejas formas culturales y no precisamente proponer la teoría del buen salvaje, ya que los valores sociales, como los que observamos en "Vals 'Capricho' ", constituyen un tabú para el desarrollo íntegro del hombre.

Hace unas dos décadas se creía que el matrimonio-maternidad era la única forma posible de realización para la mujer. Se pensaba, en igual forma, que sus únicas preocupaciones debían ser el cuidado del marido e hijos y la atención al hogar, así que su ámbito de acción estaba circunscrito al medio familiar. No obstante, la "reina del hogar" representaba un papel secundario: su existencia se justificaba sólo en función de los demás. Este "modo de ser" corresponde plenamente a las normas capitalistas, "ya que la ideología burguesa ha asignado a la mujer como su papel fundamental el de 'ama de casa' al cual corresponde un trabajo específico: el doméstico, y un lugar para realizarlo: el hogar"[38] Examinemos ahora este otro eje que atraviesa la narrativa de RC.

En *Balún Canán* encontramos que la madre de la niña y de Mario se adecúa con facilidad al papel de Zoraida de Argüello: "el nombre me gusta, me queda bien."[39] Su relación con César dista de ser armoniosa, pero se siente deudora de que se casó con ella –a pesar de provenir de los Solís de abajo–, rescatándola de la soltería y de una vida de penuria. Si de cuando en cuando la asalta el sentimiento de ser "como gallina comprada",[40] su matrimonio y, muy especialmente, sus dos hijos –"Y uno es varón"–[41] le sirven de paliativo. Acepta con naturalidad los escarceos de su marido con las indias de la hacienda "porque toda mujer de ranchero se atiene a que su marido es el semental mayor de la finca".[42] Ignorante, incapaz de entender "lo de las fases de la luna",[43] cada día está más alejada de César espiritualmente, pero ante la disyuntiva de un matrimonio de apariencia o de una separación, prefiere lo primero. De otra manera: "Se arrima uno a todas partes y no tiene cabida con nadie."[44] Su dependencia del hombre llega al

37 *Idem.*
38 M. de Leonardo, *op. cit.*, p. 46.
39 RC, *BC*, p. 90.
40 *Ibidem*, p. 91.
41 *Ibidem*, p. 92.
42 *Ibidem*, p. 81.
43 *Ibidem*, p. 92.
44 *Idem*, p. 92.

grado que con César ausente y con Mario muerto, se desploma y no encuentra asidero para su vida.

En Zoraida aparecen ya delineadas dos cuestiones fundamentales que RC sustentará –e impugnará– en posteriores narraciones y ensayos: el matrimonio-maternidad no conlleva la realización de la mujer y la preferencia que en nuestro medio mexicano se concede al hijo varón. Quizá el personaje que permite apreciar mejor este problema sea la señora Justina, del cuento "Cabecita blanca".

Madre de tres hijos –Carmela, Lupe y Luisito– y ya viuda, la señora Justina piensa con complacencia que "El lugar adecuado para un marido era en el que ahora reposaba su difunto Juan Carlos".[45] Todavía más drástica es la opinión de su hermana soltera Eugenia:

> Un marido en la casa es como un colchón en el suelo. No lo puedes pisar porque no es propio; ni saltar porque es ancho. No te queda más que ponerlo en su sitio. Y el sitio de un hombre es su trabajo, la cantina o la casa chica.[46]

Podríamos atribuir el áspero comentario de Eugenia a frustración o resentimiento porque ningún hombre la "consideró [. . .] digna de llevar su nombre ni de remendar sus calcetines".[47] Y ¿la casada? ¿Puede entonces hablarse de una relación basada en el mutuo aprecio, en el respeto y el compañerismo? Evidentemente no. La ausencia definitiva del marido significa para la esposa un alivio, aun cuando no deja "de ser un detalle de buen gusto invocarlo de cuando en cuando".[48] Pero este contento interior no debe traslucirse: es imprescindible portarse "como una dama: luto riguroso dos años, lenta y progresiva recuperación, telas a cuadros blancos y negros y [después] el ejemplo vivo de la conformidad con los designios de la Divina Providencia".[49]

Si un marido muerto es lo más deseable, un esposo ausente ocasionalmente o con cierta periodicidad, no provoca mayor sobresalto:

> Una vez la señora Justina recibió un anónimo en el que "una persona que la estimaba" la ponía al corriente de que Juan Carlos le había puesto casa a su secretaria [...] Claro que lo que decía el anónimo podía ser verdad. Juan Carlos no era un santo sino un hombre y como todos los hombres, muy material. Pero mientras a ella no le faltara nada en su casa y le diera su lugar y respeto de esposa legítima, no tenía derecho a quejarse ni por qué armar alborotos.[50]

45 RC, "Cabecita blanca", en *AF*, p. 49.
46 *Idem.*
47 RC, "La participación de la mujer mexicana en la educación formal", en *ML*, p. 33.
48 RC, "Cabecita blanca", en *AF*, p. 48.
49 *Ibidem*, p. 49.
50 *Ibidem*, pp. 56-57.

Resulta casi superfluo insistir en la cosificación que el sistema burgués impone a hombres y mujeres. Pero en este caso, no podemos dejar de subrayar que, en nuestra sociedad, son las apariencias las que determinan el matrimonio y no el amor, porque éste "como única razón de la unión, está indefectiblemente contradicho por el imperativo material de [la] unión o, para decirlo mejor, un amor libre, que parece al alcance de la mano, está reprimido por sujeciones llanamente económicas".[51] Supuestamente el matrimonio se concierta por libre decisión, pero en realidad está condicionado por factores socioeconómicos:

> se sabe bien que la libertad de selección en el matrimonio son palabras vacías: la que se casa con el vecino de piso, porque es el primero que se lo ha propuesto, la que se casa con el padre de su hijo, porque no tiene otra solución en nuestra sociedad una vez que está hecho, los que se casan por no estar solos, porque solos están socialmente desacreditados y en condiciones económicas muy desfavorables: todos esos, es decir, la mayoría ¿han ejercido una selección libre?[52]

En estas circunstancias, no es entonces de extrañar que

> La sexualidad cotidiana se [vuelva] intolerable porque reposa sobre una unión "libremente decidida", productora de necesidades afectivas sexuales, intelectuales, etc. contratada entre dos partes que no son libres, y que, en esta unión, buscan cada una alcanzar objetivos no solamente diferentes, sino hasta antagónicos: para el hombre un objeto de ocio, para la mujer una justificación de su enclaustramiento al servicio de la familia.[53]

Si se persiguen objetivos distintos, ¿cuáles eran los de Justina y Juan Carlos? Ella, desprovista de la dote exigida para entrar al convento donde estaría a salvo de "las flaquezas de la carne",[54] opta por casarse con el primero que se lo propuso, al que conoció en las reuniones de la Acción Católica, y desde el comienzo se amaron "en Cristo y se regalaban, semanalmente, ramilletes espirituales".[55] Además, Juan Carlos le aseguraba un sitio respetable en la sociedad, una relativa seguridad económica y la maternidad.

A su vez, Juan Carlos buscaba una caja de resonancia para sus ideas:

> Dijera lo que dijera provocaba siempre un ¡ah! de admiración tanto en la señora Justina cuanto en el eco dócil de sus cuatro hermanas solteras. Fue con ese ¡ah! con el que Juan Carlos decidió casarse y su decisión no pudo ser más

51 Claudie Broyelle, *La mitad del cielo*, p. 243.
52 *Ibidem*, p. 254.
53 *Ibidem*, p. 244.
54 RC, "Cabecita blanca", en *AF*, p. 51.
55 *Idem.*

acertada porque el eco se mantuvo incólume y audible durante todos los años de su matrimonio y nunca fue interrumpido por una pregunta, por un comentario, por una crítica, por una opinión disidente.[56]

Con la llegada de los hijos y al desvanecerse el ya de por sí exiguo interés del uno por el otro, Juan Carlos, como cualquier "burgués mujeriego, burla el matrimonio y cae secretamente [o no tan secretamente] en el adulterio".[57] Sin embargo, se mantienen las apariencias y la familia como tal permanece imperturbable. ¿Por qué? A lo que responden Marx y Engels: conforme a la moralidad burguesa, "la familia persiste siempre", a pesar de que esté basada y tenga "como nexo de unión el hastío y el dinero".[58]

Frustrada en su relación con Juan Carlos, la señora Justina, que "se había desentendido de Carmela y [que] estaba dispuesta a abandonar a Lupe (eran mujeres, al fin y al cabo, podían arreglárselas solas)",[59] concentra todos sus cuidados en Luisito, "que no tenía quien lo atendiera como se merecía".[60] Este comportamiento no es gratuito.

Según Santiago Ramírez: "Desde un punto de vista formal podríamos adscribirle a la mujer dos tipos fundamentales de expresión de femineidad: realización femenina de tipo genital y realización femenina de tipo maternal."[61] En el caso de la señora Justina, a quien los arrebatos amorosos de Juan Carlos obligaban a correr al confesionario, huelga decir que la satisfacción sexual es inexistente. Queda entonces la realización mediante los hijos. Y dice el mismo Ramírez:

en la cultura mexicana, viviéndose como antagónicas la satisfacción genital y la procreativa, la mujer, poco satisfecha y realizada en su conducta genital, compensa vicariamente la falta de seguridad y apoyo que debiera obtener del compañero en una maternidad exhuberante y prolífica, dándole al hijo la protección y apoyo que ella no recibe de su compañero.[62]

Dada la predilección existente en nuestro medio por el hijo varón (como sucede en *Balún Canán* y en la propia vida de Rosario Castellanos), la señora Justina vuelca su cariño y sus mimos en Luisito. Abandonada por el marido y necesitada de algún tipo de relación con el sexo opuesto, concentra su afecto en el hijo, convirtiéndose en una madre posesiva y castrante. La ausencia del padre –tan anhelado y temido a la vez– repercute con fuerza en el hijo:

56 *Ibidem*, p. 52.
57 Carlos Marx, Federico Engels *et al.*, *op. cit.*, p. 16.
58 *Ibidem*, p. 17.
59 RC, "Cabecita blanca", en *AF*, p. 63.
60 *Idem.*
61 Santiago Ramírez, *El mexicano, psicología de sus motivaciones*, p. 152.
62 *Ibidem*, p. 158.

El hombre mexicano carente de un padre que le brinde estructura va a buscar en aspectos formales externos aquello que no ha incorporado en su interioridad. Por eso hará alarde externo de una hombría, de una paternidad de la cual carece. Su dinero y recursos los empleará en objetos, cosas y diversiones que estereotipadamente han sido calificadas de masculinas. La pistola, el caballo, las espuelas, el sombrero de charro o el automóvil último modelo, en la actualidad son atuendos externos que le permiten calmar su inseguridad masculina.[63]

No es esto lo que ocurre con Luisito, que se refugia en la homosexualidad, circunstancia que la madre prefiere ignorar encontrando incontables excusas para la conducta del hijo. A ella le hubiera "gustado que la rodearan los nietos, los hijos, como en las estampas antiguas. Pero eso era como un sueño y la realidad era que nadie la visitaba".[64] Es decir, hubiera preferido vivir en un mundo idílico, totalmente alejado de su cotidianidad, ya que ni como soltera ni como casada ni como madre tuvo una vida fecunda y plena.

Novela ambiciosa donde RC presenta un panorama global de Chiapas en los años treinta –momento en que Cárdenas hace un recorrido por el estado con objeto de poner en práctica sus planes de reforma agraria–, *Oficio de tinieblas* es, opina Joseph Sommers, "la más completa y, artísticamente, la más acabada de las novelas indigenistas de México".[65] En su denuncia de la opresión en todos los niveles, la autora muestra no sólo aquélla a que están sometidos los indígenas, sino "las interconexiones entre los mecanismos de dominación tanto de clase como raciales y sexuales".[66] Sensible a la alienación de la mujer, introduce técnicas psicológicas en el análisis de sus personajes femeninos, por ejemplo, el monólogo interior, que había utilizado ya en menor escala en *Balún Canán*. Crea de esta manera a cuatro figuras femeninas de relieve: Isabel, Idolina, Catalina Díaz Puiljá y Julia Acevedo.

Madre de Idolina y angustiada por su complicidad en la muerte de su primer marido, Isabel pasa el tiempo bordando interminablemente. La hija, celosa del matrimonio de Isabel con Cifuentes, se refugia en la enfermedad y tiraniza a su madre. Catalina, la ilol, y Julia, la Alazana, ofrecen más tela de dónde cortar: ni una ni otra tiene hijos, pero mientras Julia ha tomado su propia decisión, la ilol sufre a causa de su esterilidad y cae más tarde en la enajenación:

> Catalina palpó sus cadetas baldías, maldijo la ligereza de su paso y, volviéndose repentinamente para mirar tras de sí, encontró que su paso no había dejado huella. Y se angustió pensando que así pasaría su nombre sobre la memoria de su pueblo. Y desde entonces ya no pudo sosegar.[67]

63 *Ibidem*, p. 136.
64 RC, "Cabecita blanca", en *AF*, p. 62.
65 Joseph Sommers, "*Oficio de tinieblas*", en *Nexos*, núm. 2 (feb. 1978), p. 15.
66 *Ibidem*, p. 16.
67 RC, *OT*, p. 12.

Sin repudiarla abiertamente, el marido se convierte en un hombre taciturno y hosco, sumido en un mutismo que hiere y abruma a Catalina. Como el contacto de la mujer con el mundo exterior se da a través del hombre, ella pierde entonces toda posibilidad de comunicación y se refugia en la magia. Juega a ser madre adoptiva de Marcela –violada por Cifuentes– con miras a ser la madre verdadera de su hijo, al que finalmente pierde cuando lo entrega para ser crucificado, ya que "Su nacimiento, su agonía y su muerte sirven para nivelar al tzotzil, al chamula, al indio, con el ladino".[68]

Para vencer el rechazo de la comunidad originado por su esterilidad, Catalina recurre al descubrimiento de los dioses en la cueva, al que hace aparecer como un nacimiento milagroso. Probaba así que "Tenía poderes, los dioses no habían desamparado a la ilol".[69] Por un corto tiempo, se siente "dueña del mundo", pero el aura mágica que la envolvía y la reverencia de que disfrutaba, se evaporan cuando el pueblo comprende que la ilol, como depositaria de la sabiduría de la tribu y como voz de los indígenas, es falsa y carece de autoridad.

El abandono que agobia a Catalina y el silencio prolongado de Pedro –quien antes del descubrimiento de los ídolos sólo respondía a sus preguntas con un ademán– contrastan con la actitud de mando asumida por ella al ser investida por la "voz". ¿Cómo podría explicarse esta transformación? Ruth W. Diggle ha observado que las figuras femeninas de RC, "personajes sin poder, no dominan el lenguaje, mientras que el protagonista masculino une a su poder un dominio hábil del lenguaje".[70] Según Diggle, en su denuncia de los mecanismos de la opresión, RC muestra en su obra el uso que se ha dado al lenguaje como instrumento de dominio. De este modo, Catalina, mujer sumisa y abnegada que apenas conocía el vocabulario doméstico, al comunicarse con los dioses se coloca en condiciones de igualdad con los elegidos.

Julia Acevedo representa, en *Oficio de tinieblas*, la irrupción de lo ignorado, de la misteriosa capital, que llega a perturbar la tranquilidad provinciana. Hermosa, de carácter audaz y aparentemente ajena a los prejuicios sociales imperantes en Ciudad Real, provoca a su arribo gran expectación.

A diferencia de los personajes femeninos que hemos mencionado hasta ahora, julia tuvo, en su adolescencia, la oportunidad de encaminar su vida por distinto sendero: su madre se propuso hacer de ella y de sus dos hermanas "mujeres capaces de sostenerse con su trabajo, de prescindir del apoyo de un marido. Y esto no era posible, según la opinión de la señora, más que aprendiendo una profesión lucrativa".[71]

[68] *Ibidem*, p. 324.
[69] *Ibidem*, p. 195.
[70] Ruth W. Diggle, *El lenguaje, medio de liberación en la obra de Rosario Castellanos*, p. II.
[71] RC, *OT*, p. 126.

De donde podemos inferir: mientras conforme a la actual división social del trabajo la mujer continúe excluida de una vida económicamente productiva y confinada a las labores domésticas, es imposible que sea autosuficiente y que cese la opresión a la que ha estado sometida.

Inscrita en el Politécnico, pronto abandona Julia los estudios que no satisfacen sus inquietudes personales y, principalmente, porque "Era una de esas mujeres para quienes el mundo, su propio destino y hasta su personalidad, no se revelan, no adquieren un contorno definido más que al través del contacto amoroso con el hombre".[72] Luego, Julia requiere del "otro" para descubrir su propio yo; por ello, al conocer a Fernando Ulloa, que la deslumbra con sus ideas de vanguardia sobre tópicos socioeconómicos y políticos, se aferra a él. Deseosa de retener "su aureola de heroína que desafía los convencionalismos",[73] se rehusa a contraer matrimonio; sin embargo, poco después surge en ella la necesidad de "tener un asidero en la respetabilidad, en la riqueza, en el poder".[74] que ya no le proporciona Ulloa. Así, a su llegada a Chiapas, Julia codicia la fuerza y el prestigio social que simboliza Cifuentes.

Acostumbrado el hacendado al gusto tosco de las indias de los alrededores, se siente atraído por el encanto y refinamiento que emanan de la forastera. Se traban entonces en un combate desigual, supuestamente amoroso, en el que Julia

> Estaba segura de que conservaría el suficiente dominio de sí misma como para no perder las riendas de este asunto. Pero no contaba con la insensibilidad de Leonardo, con ese orgullo del macho que no está acostumbrado a recibir dones sino tributos. Y su prestigio más sólido, el de extranjera, quedó eclipsado ante una nueva y brutal denominación: la de querida. Era la querida de Leonardo y este hecho la colocaba, automáticamente, a su merced.[75]

Al diluirse la pasión de los primeros días, transformándose en "un afecto conyugal y tranquilo",[76] fragil ante los embates de la cotidianidad, se agudiza la pugna: "jugaban los dos, en estas escaramuzas, su posición, el dominio que iban a ejercer sobre el adversario vencido. Ganaba la experiencia del hombre, perdía la índole vulnerable de la mujer."[77]

La pareja Julia-Cifuentes presenta, además, otra vertiente: se ejemplifica en ellos la oposición que surge en el país desde esa época entre urbe y provincia:

72 *Ibidem*, p. 127.
73 *Ibidem*, p. 128.
74 *Idem*.
75 *Ibidem*, p. 197.
76 *Ibidem*, p. 203.
77 *Ibidem*, p. 205.

Julia se encabritó. No faltaba más que un ranchero, un payo con el que ella había condescendido y al que se había rebajado, se diera el lujo de humillarla. La ofensa hecha a Julia iba más allá de su persona: en ella la provincia estaba escarneciendo a la elegancia, al buen tono, a la superioridad, en fin, de la capital.[78]

El antagonismo implica el choque de dos concepciones del mundo que entran en conflicto: muestra el desmoronamiento ineludible de la sociedad feudal que dará paso a un incipiente capitalismo. Ante el aniquilamiento provocado por la reforma agraria, por la imposición de autoridades designadas por el gobierno central, por el colapso de instituciones sociales y religiosas que se pensaban eternas, era lógico que se produjera una resistencia al cambio, representada, en la novela, por Cifuentes, frente a las corrientes de avanzada simbolizadas por Julia. O, para citar las palabras de Joseph Sommers:

la cultura tradicional tal y como aparece en la novela, constituye, por un lado, una rigurosa fuerza de cohesión y de resistencia contra el aniquilamiento socioeconómico y, por el otro, un mecanismo a través del cual se canalizan los paliativos que permiten absorber y soportar la opresión de un sistema intolerable.[79]

Hemos visto que la esterilidad empuja a Catalina a la locura, no así a Julia, que escoge no tener hijos y llega, inclusive, al aborto. Tenemos así dos posiciones extremas frente a las cuales nos preguntamos: ¿cuál es el valor que se atribuye a la maternidad? A lo que responde RC: si se tratara solamente de "una eclosión física, como entre los animales, sería anatema".[80] Para ella, su trascendencia es mucho mayor:

En México, ya no es necesario demostrarlo con ejemplos, la maternidad no es sólo un valor, sino que alcanza a convertirse en una de las formas de idolatría. La maternidad redime a la mujer del pecado original de serlo, confiere a su vida (que de otro modo resulta superflua) un sentido y una justificación. Unge de óleos sagrados el apetito sexual que, en sí mismo, se considera el pecado sin remisión cuando es un ente femenino quien lo padece. Exalta la institución del matrimonio hasta el grado de la estabilidad absoluta, vuelve ligero el yugo doméstico y deleitoso el cilicio de las obligaciones. Sirve de panacea infalible para las más hondas y desgarradoras frustraciones personales.[81]

Y Santiago Ramírez afirma: en nuestro país, "La mujer es progenie, no sexo",[82] palabras que comprueban las de RC. Por la materni-

[78] *Ibidem*, pp. 204-205.
[79] J. Sommers, *op. cit.*, p. 16.
[80] RC, "La mujer y su imagen", en *ML*, p. 15.
[81] RC, "La palabra y el hecho", en *UP*, p. 53.
[82] S. Ramírez, *op. cit.*, p. 150.

dad, ocurre, además, una transmutación social importante: la mujer, de figura devaluada, pasa a ser enaltecida por una sociedad que le confiere "carta de ciudadanía en toda regla".[83] La maternidad adquiere así caracteres que lindan en la magia y va acompañada de actitudes que transforman el ciclo de la reproducción en un acto teatral.

Al igual que la maternidad, el matrimonio parece tener también sus propias reglas para la puesta en escena. Veamos, por ejemplo, lo que acontece en "El viudo Román", donde el móvil para el casamiento de don Carlos con Romelia es la venganza, hecho que todos ignoran menos el protagonista:

> Cierto que sus caricias [de Romelia] habían sido torpes. ¿Pero no es la torpeza condición de las vírgenes? Cualquiera otra actitud, que no fuese de resistencia o de temor, cualquier rendición que no pareciera forzada, habría despertado en el esposo dudas sobre la pureza de la mujer, sospechas acerca de la autenticidad de su inocencia. Pero Romelia creía haber encontrado el justo medio en que quedara a salvo su prestigio y pudiera dar satisfacción a su esposo. Sin embargo, ahora ya no sabía qué pensar. Por una parte, don Carlos era muy inexpresivo; por otra, ella estaba tan concentrada en sí misma, en su miedo, en los gestos rituales que debía cumplir, que no pudo observarlo, ni siquiera verlo. Eran, en esos momentos, dos personajes representando sus papeles respectivos. Para ella don Carlos no significaba más que el antagonista, el juez, el dueño, el macho. Pero no tenía rostro y no le oyó la voz.[84]

Si observamos con atención el vocabulario utilizado, vemos que el director de escena –en este caso, la autora– resalta "los gestos rituales" que los actores deben imprimir a sus personajes. Como en cualquier otro papel, las actitudes, gestos y movimientos –incluyendo el manejo de la emoción– han sido prefijados. La recién casada, en el escenario preparado para sus nupcias, debe –ignorante y temerosa por su propia condición y aturdimiento– actuar de modo ambivalente, rechazando y aceptando a la vez:

> La actitud de la mujer, sabedora de la diferencia con la cual la trata el hombre en sus diversas condiciones de novia y de esposa, es distinta. Pasa del "estése silencio y sosiego", reticente e insinuante, a la sumisión mansa, abnegada y sufriente y masoquista de la esposa mexicana.[85]

Para Romelia, su marido no representa al hombre escogido por gusto o del que está enamorada, sino a aquél que la elevaría al "rango de señora ante los ojos de todos".[86] Importante es también advertir que el esposo no tiene rostro ni voz y que es tan sólo el contrincante

[83] RC, "La mujer y su imagen", en *ML*, p. 15.
[84] RC, "Vals 'Capricho' ", en *CDA*, pp. 171-172.
[85] S. Ramírez, *op. cit.*, p. 115.
[86] RC, "Vals 'Capricho' ", en *CDA*, p. 166.

y, simultáneamente, el amo. No creemos aventurado afirmar que, en este pasaje, la autora señala que la falta de identidad no es exclusiva de la mujer. En el instante mismo de la culminación amorosa, los protagonistas están desprovistos de personalidad definida, de cara, de voz.

A través de sus personajes, RC insiste una y otra vez en poner de relieve las conveniencias matrimoniales, expresadas por boca de Romelia:

> Sí, en las bancas más próximas estaban sus amigas a las que mañana (y quizá siempre) les seguirían diciendo señoritas. Las que no iban a ser iniciadas, como ella esta noche, en los misterios de la vida. Las que no asistirían a los paseos, a las reuniones, a los entierros, sostenidas por el brazo fuerte de un hombre. Las que no se escudarían en la figura del marido para evitarse las molestias de las pequeñas decisiones y las responsabilidades de las decisiones importantes; las que no usarían el nombre del marido para negar un favor y rechazar una hospitalidad; las que no estarían respaldadas por el crédito del marido para contraer una deuda; las que no podrían invocar la autoridad del marido para despedir a una criada o castigar un hijo.[87]

Aquí RC nos hace sentir que la mujer sólo espera que el marido –además de iniciarla en los secretos de alcoba– cumpla con sus deberes sociales, ofreciéndole una vida cómoda y placentera, alejada de todo tipo de responsabilidades.

En resumen, podemos asegurar –con base en los ejemplos citados– que el matrimonio dota a la mujer de una jerarquía que antes le estaba negada. La mujer, que no era, de pronto *es*: tiene identidad, voz y poder. Se cumple con los convencionalismos sociales y económicos y se observan, con disimulo, las reglas del juego. RC justifica a la mujer, ya que

> la hipocresía es la respuesta que a sus opresores da el oprimido, que a los fuertes contestan los débiles, que los subordinados devuelven al amo. La hipocresía es la consecuencia de una situación, es un reflejo condicionado de defensa –como el cambio de color en el camaleón– cuando los peligros son muchos y las opciones son pocas.[88]

Las formas de inserción en la sociedad que hemos analizado hasta ahora coadyuvan a la pérdida de identidad de la mujer y a la formación de una personalidad débil, sin rasgos claramente definidos. Hemos también apuntado, al referirnos a "El viudo Román", que este problema –originado en gran medida por la forma en que se realizó la Conquista y la manera como se configuraron los núcleos sociales en nuestro país– afecta por igual a hombre y mujer. El hombre care-

[87] *Ibidem*, pp. 165-166.
[88] RC, "La participación de la mujer mexicana en la educación formal", en *ML*, p. 25.

ce de seguridad y necesita de una constante autoafirmación. La mujer, desvalorizada y desexualizada en la estructura familiar de México, carece de desarrollo subjetivo, así como de una individualidad vigorosa.

Al comienzo de este capítulo, cuando analizamos los personajes femeninos de *Balún Canán,* mencionamos que a la mujer se le define ya por su estado civil, ya por rasgos o criterios ajenos a ella. La crisis de identidad llega a grado tal que a la pregunta: ¿quién soy yo?, podría responderse como se contesta a Natalia, la heroína de la novela española *La plaza del diamante*, en la crítica que RC hace de esta obra:

> ¿Pero qué es ser yo? Si Natalia hubiera preguntado le habrían respondido con una serie de esquemas: eres catalana, vives en Barcelona, perteneces a la baja clase media, profesas la religión católica y te has casado por la Iglesia con un hombre trabajador y honrado. Y puesto que respetas las costumbres y la moral eres respetable. Además, nadie puede hacerte el reproche de que no administras con prudencia tus bienes, de que no limpias con constancia tu casa, de que no alimentas lo mejor posible a tu familia. Y menos aún pueden echarte en cara que eres estéril. Has parido hijos. Vas a permanecer. Ahora y más tarde. En la repetición invariable de la rutina. En tu descendencia. En un retrato que irá poniéndose amarillo primero colgado de una pared y luego arrumbado en un desván. Tu alma, mientras tanto, gozará de las delicias del cielo.[89]

Partidaria de que la mujer aprehenda la dimensión real de este problema, así como los verdaderos motivos –sociales, económicos y psicológicos– que lo sustentan, RC abunda sobre el tema en varios ensayos de crítica literaria. Con esta intención, al referirse a la novela *Las parejas impares*, de John Updike, muestra que la mayoría de las mujeres se ven afectadas por la falta de desarrollo de su personalidad. En esta obra, el personaje masculino, incapaz de establecer una relación firme con la mujer –lo que implica otros problemas psicológicos ajenos a este trabajo–, vive de aventura en aventura. Este donjuanismo –en opinión de RC– no se debe a una búsqueda de emociones nuevas o a simple aburrimiento, sino que está alimentado, en gran medida, "por una apenas perceptible diferenciación entre sus cómplices sucesivas o simultáneas".[90] Si a Piet Hannuema le parece que sus compañeras de aventura son tan semejantes unas a otras, es porque

> están desprovistas del principio de individualización y [...] sólo resultan discernibles si se les aplican criterios ajenos a ellas mismas, como el ser esposas de hombres que desempeñan diferentes trabajos, que perciben sueldos mayores o menores y que gozan de un prestigio fundado en una peculiaridad que no es la misma de la que derivan su prestigio los otros.[91]

[89] RC, "Mercedes Rodoreda: el sentimiento de la vida", en *ML*, p. 137.
[90] RC, "Las 'parejas impares' de John Updike", en *MP*, p. 95.
[91] *Ibidem*, p. 96.

Ubicada ya en nuestra realidad mexicana, RC escribe "Lección de cocina", donde muestra las reflexiones dolorosas de una recién casada que se enfrenta a su nuevo estado civil. Estructurado el relato en dos planos distintos y con un doble manejo del tiempo, nos permite apreciar el modo como discurre su pensamiento.

Al inicio del cuento, la mujer es equiparable a la cocina blanca e inmaculada. Una segunda metáfora la asemeja a la carne misma. Inexperta en el arte culinario, la muchacha saca del congelador un trozo de carne "irreconocible bajo su capa de hielo",[92] que sólo puede reconocer al descongelarlo y leer la etiqueta. En forma análoga, ella era también inidentificable antes de su matrimonio, cuando empieza a ser conocida como 'señora de. . .' Desde ese momento se produce la revelación: "en el contacto o colisión con él he sufrido una metamorfosis profunda: no sabía y sé, no sentía y siento, no era y soy."[93]

Pero la metamorfosis no opera el milagro a nivel del subconsciente, ya que la protagonista parece poco convencida de su nueva identidad:

> Soy yo. ¿Pero quién soy yo? Tu esposa, claro. Y ese título basta para distinguirme de los recuerdos del pasado, de los proyectos para el porvenir. Llevo una marca de propiedad y no obstante me miras con desconfianza.[94]

Su individualidad es tan débil y superficial que llega incluso a pensar:

> Cuando dejas caer tu cuerpo sobre el mío siento que me cubre una lápida llena de inscripciones, de nombres ajenos, de fechas memorables. Gimes inarticuladamente y quisiera susurrarte al oído mi nombre para que recuerdes quién es a la que posees.[95]

Al problema psicológico de la protagonista se suman los intereses socioeconómicos subyacentes, ya que dentro del sistema económico la mujer casada tiene una doble jornada de trabajo social y doméstico:

> Se me atribuyen las responsabilidades y las tareas de una criada para todo. He de mantener la casa impecable, la ropa lista, el ritmo de la alimentación infalible. Pero no se me paga ningún sueldo, no se me concede un día libre a la semana, no puedo cambiar de amo. Debo, por otra parte, contribuir al sostenimiento del hogar y he de desempeñar con eficacia un trabajo en el que el jefe exige y los compañeros conspiran y los subordinados odian.[96]

Esta es la denuncia que expresa la autora en contra de la opresión

[92] RC, "Lección de cocina", en *AF*, p. 8.
[93] *Ibidem*, p. 12.
[94] *Ibidem*, p. 14.
[95] *Idem.*
[96] *Ibidem*, p. 15.

de la mujer. Pero advierte que el hombre no es el enemigo natural de la mujer, sino que ambos reproducen, a nivel de las relaciones personales, las relaciones sociales básicas que muestran, a su vez, las contradicciones inherentes al carácter de estructura y proceso de la sociedad. Optimista, RC piensa que puede entablarse un diálogo y que sólo dentro de una relación dialéctica, de mutuo beneficio, podrá romperse la relación sadomasoquista –de hombres muy machos y mujeres muy abnegadas– prevaleciente en nuestros días. Para corregir estos males seculares, insta a la mujer, en primer término, a que acepte la responsabilidad de sus actos y de su vida:

> La hazaña de *convertirse en lo que se es* (hazaña de privilegiados sea el que sea su sexo y sus condiciones) exige no únicamente el descubrimiento de los rasgos esenciales bajo el acicate de la pasión, de la insatisfacción o del hastío sino sobre todo el rechazo de esas falsas imágenes que los falsos espejos ofrecen a la mujer en las cerradas galerías donde su vida transcurre.[97]

Si pide a la mujer que actúe con valentía, con la frente en alto, abandonando para siempre los vericuetos de la hipocresía, demanda de los hombres un cambio de mentalidad y la aceptación de la mujer como igual:

> Tienen que comprender, porque lo habrán sentido en carne propia, que nada esclaviza tanto como esclavizar, que nada produce una degradación mayor en uno mismo que la degradación que se pretende inflingir a otro. Y que si se le da a la mujer el rango de persona que hasta ahora se le niega o se le escamotea, se enriquece y se vuelve más sólida la personalidad del donante.[98]

Como conclusión, los personajes analizados en este capítulo nos han permitido señalar que su comportamiento no es gratuito: obedece a patrones socioeconómicos establecidos y a normas culturales que, en este momento, carecen ya de vigencia. Hemos podido apreciar también, a través de la prosa narrativa de RC, que la maternidad y el confinamiento de la mujer a las labores domésticas constituyen un serio obstáculo para su liberación, sobre todo mientras se siga considerando a la primera como el único objetivo de su existencia y, al segundo, como preferible al desarrollo intelectual y a la aceptación de responsabilidades. RC objeta, asimismo, los privilegios otorgados al hijo varón y defiende la revalorización de la mujer, asignándole el lugar que le corresponde en la sociedad. Por último, critica la concepción ornamental de la cultura que imposibilita a la mujer para utilizarla como instrumento de transformación de la realidad social.

Considerados en su conjunto, y dada su refuncionalización dentro

[97] RC, "La mujer y su imagen", en *ML*, p. 20.
[98] RC, "La participación de la mujer mexicana en la educación formal", en *op. cit.*, p. 38.

de la sociedad capitalista, todos estos factores constituyen un lastre para una auténtica liberación de la mujer, ya que la opresión de ésta ocurre, desde el primer momento, dentro del marco familiar. Veamos, por ejemplo, lo que sucede con el matrimonio. En principio, se trata de un "contrato" libre, aunque en la práctica dista mucho de serlo. Lejos están los tiempos en que el señor feudal concertaba la alianza para hijas o siervas, pero dentro del sistema capitalista la mujer tampoco goza de mayor libertad a causa de la división de funciones establecida: al marido le corresponde trabajar fuera de casa, percibir un salario y –en teoría– mantener a la familia. La mujer queda limitada, en su mayoría, al hogar, y su único contacto con el mundo exterior se da mediatizado por el marido. Se le hace responsable de las tareas domésticas y de la reproducción de la especie que es, a su vez, reproducción de la fuerza de trabajo. Como estas ocupaciones no son reconocidas como trabajo social o productivo, la mujer no recibe ninguna remuneración.

Las funciones sociales de la mujer (reproducción de la fuerza de trabajo en todo sentido, es decir, hacer las compras, limpiar la casa, encargarse de la ropa, cuidar del bienestar físico, psicológico y emocional del marido e hijos, etcétera) se ven incorporadas al salario del marido, el cual supuestamente incluye una remuneración por el trabajo femenino. Sin embargo, y aun cuando esto fuera cierto, no es la mujer misma la que recibe el pago, sino el marido. Se crea entonces una dependencia de la esposa y, al mismo tiempo, una sujeción al jefe de la familia, quien impone sus normas y considera a la mujer como su propiedad.

Para modificar este estado de cosas, se requiere de la integración de la mujer a las actividades productivas por derecho propio y no mediada por la relación familiar. De esta manera, se establece la condición necesaria para la ruptura de las desigualdades objetivas y subjetivas en la relación hombre-mujer y de ésta para con los hijos. Al desaparecer este desequilibrio, se fomenta el enriquecimiento de la pareja, ya que la unión amororsa estará basada en el compañerismo, la libertad y el respeto mutuo. Sólo así funcionará la pareja como tal y no como contrincantes, adoptando una actitud solidaria frente a las obligaciones individuales y comunes, es decir, respecto a la familia y a los hijos.

CAPÍTULO III

"EN LOS LABIOS DEL VIENTO HE DE LLAMARME ÁRBOL DE MUCHOS PÁJAROS"

"El varón es la cabeza de la mujer", dice San Pablo en la Epístola a los Efesios. Y en la Primera Epístola a los Corintios: "la mujer es gloria del varón. Porque no procede el varón de la mujer, sino la mujer del varón." Y expresa una sentencia todavía más rigurosa: "las mujeres [. . .] callen, pues no les es permitido hablar [y] si algo desean aprender, pregunten en casa a sus propios maridos." Así el apóstol instituye y fundamenta de manera categórica la vida familiar y social de la mujer, alejándola del mundo exterior –que sólo percibe a través de otro–, obligándola a guardar silencio y limitando su función a ser adorno del hombre y a la reproducción de la especie. Oscurecida y relegada a un segundo plano, apenas si merece que se hable de ella, lo que "puede interpretarse –opina RC– como un olvido, la forma más refinada del desprecio".[1]

Al confinar a la mujer dentro del hogar con funciones tan rígidamente delimitadas, es obvio que se le vedaba el acceso al mundo de la cultura que quedó, de esta manera, casi como dominio exclusivo del hombre. Y decimos "casi" porque desde siempre se produjeron brotes aislados de rebeldía que no tuvieron, en ese momento, mayor trascendencia.

Pero la absoluta sujeción de la mujer al hombre no bastaba por sí sola para realzar su gloria. Pronto se hizo necesario que ella también fuera culta y educada: maestra en las artes del bordado y la cocina, con conocimientos de música y canto, afecta al catecismo y las prácticas religiosas y apenas iniciada en las primeras letras. Es decir, se

[1] RC, *SCF*, p. 24.

trataba de una formación y mejoramiento un tanto aristocráticos que excluían las actividades utilitarias. En otras palabras, la cultura era adorno de la mujer, como ella era, a su vez, gala y ornamento del hombre.

Se permite, entonces, el acceso de la mujer a la cultura. Mas no se le devuelve el uso de la palabra: debe permanecer en silencio. Rara vez se escucha una voz femenina porque el lenguaje –instrumento de conformación de la realidad– le es desconocido. Ajena al proceso histórico, inducida al conformismo, se prodigan elogios a su capacidad intuitiva como rasgo característico de su personalidad, pero se le niega la facultad de razonar, y ella lo acepta. Poco a poco, sin embargo, la mujer empieza a buscar una forma de expresión intelectual, que se da generalmente en la lírica con posteriores incursiones en el género narrativo.

Una de estas primeras voces de la rebeldía –tan combatida que tuvo que ser enterrada en secreto– corresponde a Louise Labé, a quien algunos críticos califican como la primera mujer libre del occidente cristiano. Rechazando la concepción ornamental de la cultura, la escritora francesa demanda para las mujeres, ya en el siglo dieciséis, "el derecho de elevar sus espíritus por encima de sus ruecas y sus husos", así como "la prerrogativa de destacar no sólo por la belleza, pero igualar a los hombres en ciencia y virtud".[2]

Durante el siglo diecisiete ocurre en Francia un hecho importante: se abren los salones, escenario de la vida mundana y centro de difusión de la cultura, donde brillan las mujeres que disponen de tiempo para cultivar una conversación ingeniosa, las letras y las artes. Madame de La Fayette –autora de *La princesa de Clèves*, novela que, en opinión de algunos historiadores de la literatura, revolucionó la técnica narrativa francesa– y madame de Sevigné –cuyas *Cartas* gozan de amplio reconocimiento– fueron la admiración de La Rochefoucauld y de otros intelectuales asiduos a sus tertulias. Aunque desprovista su obra de crítica social y carente, consecuentemente, de trascendencia para provocar un cambio sustancial en las condiciones de vida de la mujer, *sí* constituye un paso significativo en su intento por recuperar la voz.

El ejemplo de Francia alcanza a otros países que ahora se preocupan por la educación femenina, aunque movidos, en el fondo, por una intención paternalista. Por ejemplo, durante el reinado de Carlos III se fundan en España las Sociedades Económicas de Amigos del País, a las que ingresan distinguidas mujeres. De esta manera, y aunque con lentitud, se va abriendo el camino para que la cultura deje de ser atuendo de gala y adquiera otras características. Sólo así se propi-

[2] Helena Fabián, "Ciertos comentarios generales y algunas literatas", en "El Heraldo Cultural", núm. 650 (30 abr., 1978), p. 4.

cian las circunstancias para que, a fines del siglo XIX, Concepción Arenal y Emilia Pardo Bazán, quienes manifiestan una genuina inquietud por la problemática femenina, puedan darle forma concreta en sus escritos.

Si examinamos ahora lo ocurrido en nuestro país, reparamos de inmediato en una figura de extaordinaria magnitud: sor Juana Inés de la Cruz, fervorosa defensora de la instrucción de la mujer. Sor Juana hace oír su voz y reclama su derecho a las "noticias, que era más apetecible adorno"[3] que los largos y cuidados cabellos. Su palabra, aunque valiente y sabia, fue duramente reprimida y pronto se extinguió su resonancia. Dos siglos más tarde, Fernández de Lizardi propone que se instruya a la mujer en las "artes y oficios en que se ejercitan los hombres".[4] Aun cuando el Pensador Mexicano se inscribe dentro de las cosmoviciones que objetivan a la mujer como mediadora y cuyo sitio es el hogar, contribuye, de alguna manera, a que la cultura deje de ser mero ornamento y la mujer pueda llegar a utilizarla como instrumento de transformación de la realidad social. Al igual que el pensamiento de sor Juana, el suyo tiene poca trascendencia: todavía sus contemporáneos siguen apreciando más "La ternura acompañada de una santa ignorancia".[5]

Pocos años después Ignacio Ramírez se ocupa de este tema con mayor energía y afirma: "la instrucción de las mujeres debe ser igual a la de los hombres",[6] y se opone a que éstas sean tan sólo objetos graciosos, bien educados. Y aunque no del todo liberal en cuanto a la educación femenina –"tampoco la consideramos en el porvenir que desean realizar los reformadores más audaces: igual al hombre en las cátedras, en los tribunales, en la tribuna y acaso en los mismos campos de batalla"–,[7] sí denuncia el valor utilitario que se le ha asignado: "máquina de placeres en unas naciones, máquina para hacer hijos y vestidos y comida en otras, y en las más, un positivo mueble de lujo para los ricos, y un dependiente, el primero de los animales domésticos, para los pobres."[8] Examinando la situación de las mujeres en la mayoría de las naciones, llega a la conclusión de que –a semejanza de los pobres, ignorantes e incapaces de bastarse a sí mismos– forman un grupo marginado, excluido de las actividades económicamente productivas. Sin embargo, todavía considera que la instrucción de la mujer es importante porque es ella la responsable de educar a los

[3] Sor Juana Inés de la Cruz, "Respuesta de la poetisa a la muy ilustre sor Filotea de la Cruz", en *op. cit.*, p. 446.
[4] *Vid.* n. 19, capítulo I.
[5] Martín Pescador, "Río revuelto", en *El Partido Liberal*, t. XV, núm. 2445 (5 may., 1893), p. 1.
[6] Ignacio Ramírez, "Instrucción pública, Artículo III", en *Obras*, p. 186.
[7] *Idem.*
[8] *Idem.*

hijos y una madre instruida es a todas luces preferible a "una madre inepta, por amorosa que sea".[9]

A fines del siglo diecinueve, específicamente durante el porfiriato, la filosofía positivista cuenta en México con numerosos seguidores. Esta doctrina concede que la mujer tiene "aptitud" para entender; no obstante, se le confina dentro de los cuatro muros del santuario doméstico proclamándola reina y señora del hogar. A guisa de compensación por su alejamiento de escuelas, universidades y del trabajo social remunerado, el positivismo dictamina: *"el hombre debe alimentar a la mujer"*, por lo que éste debe percibir un "salario familiar".[10] Podemos entonces decir que los partidarios de esta manera de pensar desconocían, o simplemente no deseaban admitir, que "En la sociedad burguesa, uno de los papeles asignados a la mujer es el de *representar*: su belleza, encanto, inteligencia y elegancia son los signos exteriores de la fortuna del marido",[11] palabras que comprueban que, desde este punto de vista, la cultura no permite a la mujer ser autosuficiente ni destacar por méritos propios, sino que realza el poder y representatividad del marido.

Para que la cultura pudiera ser instrumento de conocimiento y transformación de la realidad social, era indispensable la decosntrucción de los mitos imperantes y que la mujer, consciente de que el mundo de la cultura había sido hecho por y para el hombre, recuperara el uso de la palabra: "Porque la palabra es la encarnación de la verdad, porque el lenguaje tiene significado,"[12] utilizando la cultura para influir sobre la realidad obejtiva. Era necesario que su voz –hasta entonces desconocida o reprimida– tuviera amplia repercusión, ya que

> la verdadera emancipación de la mujer, la manifestación de lo que le es propio, no puede lograrse mediante el acceso a la cultura [. . .] sino a través del ejercicio consciente de una voz (un lenguaje) propia como resultado de una autoconciencia y de una crítica sistemática de los valores en curso.[13]

Al poseer el lenguaje, se posee el instrumento adecuado para comunicar y trasmitir la experiencia personal de la realidad social. Y el lenguaje es la materia de que está hecha la literatura, y la literatura es "La única carrera que ha estado permanentemente abierta para la mujer".[14]

[9] *Ibidem*, p. 188.
[10] Auguste Comte citado por Charles Rouvre, en *Auguste Comte et le catholicisme*, p. 110.
[11] Simone de Beauvoir, *El segundo sexo. I. Los hechos y los mitos*, p. 227.
[12] RC, "Notas al margen: el lenguaje como instrumento de dominio", en *ML*, p. 179.
[13] María Romana Herrera, "Ladronas de lenguaje", en *FEM*, vol. 1, núm. 2 (ene.-mar., 1977), p. 67.
[14] Virginia Woolf citada por RC, en *SCF*, p. 93. RC se refiere a *Tres guineas*, de la escritora inglesa.

En párrafos anteriores mencionamos que las mujeres buscaron la afirmación de su individualidad o la satisfacción del afán humano de trascendencia primeramente a través de la lírica. Casi siempre animadas por una intención didáctica, moralizante, religiosa o de alabanza a la vida doméstica, tenían buen cuidado de no revelar una opinión personal: "Fuera de Sor Juana –dice José María Vigil– las poetisas coloniales carecen de personalidad, pues no es posible adivinar al través de sus versos lo que pensaban o sentían."[15] RC las juzga con mayor severidad:

> Irrita esa clase de poesía lírica pseudoamorosa (se podría decir también pseudopoesía) tan cultivada por las mujeres hispanoamericanas en la que el sentimiento y su expresión no abandonan jamás los estrechos ámbitos de la individualidad y describen, más que nada, procesos fisiológicos internos.[16]

Carente de objetividad, sin capacidad de abstracción y de proyección hacia "lo que no es uno mismo",[17] todavía en el siglo diecinueve la mujer que escribe en lengua española –afirma Leopoldo Alas "Clarín"– no es más instruida que aquella "que se deja de letras: todo lo fía a la imaginación y al sentimiento, y quiere suplir con ternura el ingenio".[18] Para esta escritora –y para muchos *otros* en nuestros días–, la literatura es tan sólo mecanismo de evasión. Su quehacer literario dista mucho de ser una *praxis*, la cual "considera a la actividad de los hombres como un proceso de transformación permanente de sus condiciones naturales y sociales de existencia".[19] Luego entonces, la práctica literaria tiene como fin –afirma Françoise Perus– "la transformación de ideas, imágenes y representaciones y [opera], por lo tanto, a nivel de la ideología".[20]

Distinguimos así dos tipos de concepción del quehacer literario: uno, la literatura de evasión y otro, la actividad transformadora, o para decirlo con las palabras de Sábato:

> Hay probablemente dos actitudes básicas que dan origen a los dos tipos fundamentales de ficción: o se escribe por juego, por entretenimiento propio y de los lectores, para pasar y hacer pasar el rato, para distraer o procurar unos momentos de agradable evasión; o se escribe para buscar la condición del hombre, empresa que ni sirve de pasatiempo, ni es un juego, ni es agradable.[21]

Si aceptamos, siguiendo el pensamiento de Françoise Perus, que el

[15] José Ma. Vigil, Pról. a *Poetisas mexicanas siglos XVI, XVII, XVIII y XIX*, p. xxx.
[16] RC, *SCF*, p. 97.
[17] *Idem.*
[18] "Clarín" citado por Francisco Sosa, en "Doña Juana Manuela Gorriti", en *Revista Nacional de Letras y Ciencias, II*, p. 522.
[19] F. Perus, *op. cit.*, p. 28.
[20] *Ibidem*, p. 29.
[21] Ernesto Sábato, *El escritor y sus fantasmas*, p. 30.

hecho literario repercute a nivel de la ideología, no es aventurado afirmar que todo escritor contribuye, consciente o inconscientemente, a la reproducción y transformación de las formas de conciencia social. El escritor "comprometido" es aquél para quien la actividad literaria es una actividad conscientemente social, sin que ello implique que pueda conocer sus propias determinaciones ni medir los efectos subjetivos y objetivos de su obra: "El individuo solo no existe: existe rodeado por una sociedad, inmerso en una sociedad, sufriendo en una sociedad, luchando o escondiéndose en una sociedad."[22]

El escritor, como cualquier otro intelectual, desempeña funciones que trascienden al ámbito social y que se diferencian de las del individuo común precisamente por su trascendencia. Es el responsable —opina Raúl Olmedo— de "organizar y dirigir el trabajo manual, pero al mismo tiempo cumple el papel de mediador [. . .] entre las clases dominantes y las clases dominadas".[23] De hecho, continúa el mismo ensayista,

> todo intelectual está comprometido orgánicamente, independientemente de su voluntad, en el funcionamiento del sistema de dominación. No existe intelectual *inocente*. Sin embargo, el intelectual puede tomar conciencia de este papel que cumple y puede luchar, organizado con otros trabajadores, intelectuales o manuales, para combatir o para sostener más activamente al sistema de dominación que funciona gracias, en parte, a él.[24]

Desde esta perspectiva, ¿cómo podríamos calificar el quehacer literario de RC? ¿Contribuye su obra a sostener los mecanismos del sistema de dominación o, por el contrario, los combate? ¿Cuál fue su posición ante la vida misma? Hagamos ahora un intento de análisis de su función como escritora, como trabajadora intelectual y como mujer, aunque ya de antemano podemos afirmar que, dada su preocupación por el sentido metafísico de la vida, enemiga de la cultura de salón y de la literatura de entretenimiento, consciente de que "en México las alternativas y las circunstancias de las mujeres son muy limitadas y precisas",[25] para ella la palabra escrita es la única forma de influir sobre la realidad circundante. Así, con papel y pluma, a través de periódico e imprenta, y valiéndose de "los canales que la sociedad, a la que pertenece, le brinda",[26] emprende RC el camino de la literatura.

Desde muy niña siente el llamado de las letras y escribe en un cua-

[22] *Ibidem*, p. 21.
[23] Raúl Olmedo, "Los intelectuales 'comprometidos'", en "Diorama de la Cultura" (8 oct., 1978), p. 12.
[24] *Idem*.
[25] RC, "Álbum de familia", en *AF*, p. 149.
[26] RC, "Carlos Solórzano: un hombre en situación", en *MP*, p. 156.

derno escolar dos versos: "*Me gusta leer Paquín/ porque sale Rin-Tintin*", que se publican en las páginas de esa revista infantil. A los quince años colabora en el periódico *El Estudiante*, de Tuxtla Gutiérrez, con un poema: "Tú serás en mi vida un paréntesis". En el mismo periódico aparecen, el 9 de junio de 1941, "Consolador olvido" y, en fechas posteriores, "Mientras llegas", "Un verso", "La muerte" y "La pena es sólo mía".[27] De tono intimista, estos poemas contienen el germen de los temas que más tarde serán ampliamente desarrollados: la soledad, el amor, el abandono y la muerte. "Con la pluma en la mano", inicia la búsqueda y el cumplimiento de su vocación de "entender",[28] de encontrar respuesta a las grandes interrogantes: ¿quién soy? ¿cómo? ¿por qué? Búsqueda afortunada que logró hallazgos valiosos expresados a veces con un disfraz de metáfora y a veces en un lenguaje cargado de una ironía incisiva e ingeniosa.

En 1948 publica *Trayectoria del polvo*, poema dividido en diez cantos, en el que "quería abarcar el universo entero y conferirle un sentido" y al que ella misma califica de "obra tan ambiciosa como fallida".[29] En el mismo año aparece *Apuntes para una declaración de fe*, donde imperan la desolación y la muerte y que, según sus propias palabras, adolece de los "excesos" y "defectos" del anterior.[30] En 1950 se edita *De la vigilia estéril*, donde la autora ya no se solaza en "*las antiguas palabras/ de la desolación y la amargura*": ahora su mirada se orienta "*hacia las praderas fértiles*"[31] y los valles fecundos. Persisten, sin embargo, en estos versos dos de sus temas básicos: el amor y el abandono, ambos soporte medular de "Lamentación de Dido", considerado por algunos críticos como su poema más logrado. En 1950 se publican también *Dos poemas* y *Sobre cultura femenina*. En esta última –primer acercamiento de RC a la prosa– analiza la no-existencia de una cultura femenina y hace ya gala de esa ironía que con el correr de los años llegará a manejar con maestría. Así nos dice, por ejemplo, que "la cultura es un refugio de varones a quienes se les ha negado el don de la maternidad",[32] y se burla, con burla dolorosa y amarga, de que durante siglos la mujer haya sido tan duramente desterrada de la cultura al grado que se piense, por lo general, que ¡sólo es capaz de inventar peines o floreros de formas exóticas![33] Aquí también empieza a tomar forma su inquietud por la condición de la mujer; se rebela ante su supuesta inferioridad y rechaza el silencio a que la obliga San Pablo:

[27] *Cf.* Beatriz Reyes Nevares, *Rosario Castellanos*, pp. 21-24.
[28] RC, "Si 'poesía no eres tú' entonces ¿qué?" en *ML*, p. 204.
[29] RC, "Una tentativa de autocrítica", en *JS*, p. 430.
[30] *Idem.*
[31] RC, "De la vigilia estéril", en *PNET*, p. 34.
[32] RC, *SCF*, p. 89.
[33] *Cf.* RC, *SCF*, p. 27.

> Las mujeres, que a diferencia y como un dato fehaciente de su superioridad sobre los animales y su aproximación a lo humano han cruzado el Rubicón de la palabra, que son capaces de aprender a hablar [. . .] y de usar el lenguaje, resultan entonces capaces también de imitar los libros literarios, de intentar hacer literatura.[34]

Su sólida formación intelectual y sus vastas lecturas, a más de una genuina inquietud por el ser humano, la impulsan ahora a abandonar la perspectiva desde donde se contempla "*líricamente la vida*",[35] por lo que de ahora en adelante el tono subjetivo irá acompañado de la denuncia de la injusticia: en 1957 aparece *Balún Canán*, novela que rescata su infancia y que inicia la dimensión social de su oficio de escritora. La prosa de los relatos de *Ciudad Real* (1960) se inserta definitivamente dentro de esta faceta social y alcanza a poner de relieve "los elementos que constituyen uno de los sectores de la realidad nacional mexicana: aquél en el que conviven los descendientes de los indígenas vencidos con los descendientes de los conquistadores europeos".[36] Esta misma conflictiva es tema de *Oficio de tinieblas* (1960) –galardonada con el premio "Sor Juana Inés de la Cruz"–, que recrea los sucesos de una rebelión indígena del siglo pasado, trasladándolos a la época cardenista. Al exhibir en toda su crudeza la red de interrelaciones entre tzotziles y ladinos, la novela muestra los mecanismos de opresión presentes en la sociedad, incluyendo los factores determinantes de clase, sexo y raza. Otro de sus méritos radica en el tratamiento del universo mítico del indígena y en el señalamiento de la problemática de la mujer.

Las inquietudes de RC la llevan a incursionar por los senderos del ensayo y la crítica literaria; *Juicios sumarios* (1966), *Mujer que sabe latín. . .* (1973) y *El mar y sus pescaditos* (1975) dan prueba de esta inquietud. Algunos de sus artículos periodísticos han sido recopilados en *El uso de la palabra* (1974), editado por *Excelsior*, donde RC colaboró varios años.

La veta de la vida provinciana, que forma el trasfondo de sus novelas, le sirve también de inspiración para otro libro de cuentos: *Los convidados de agosto* (1964). La vida urbana, los convencionalismos de la familia pequeño-burguesa y los conflictos de la mujer intelectual son tema de *Album de familia* (1971).

En el tránsito de la lírica a la prosa, RC se enriquece a sí misma y enriquece su obra literaria. Al liberarse de los estrechos y siempre limitados cauces del yo, se amplía su visión del mundo y del ser humano, particularmente de la mujer. Logra así una fusión armoniosa en el tratamiento de la esencia espiritual del hombre, sin menosca-

[34] *Ibidem*, p. 94.
[35] RC, "Una tentativa de autocrítica", en *JS*, p. 432.
[36] *Ibidem*, p. 434.

bo de la percepción de los factores materiales que condicionan este modo de ser. La preocupación por la finalidad y sentido de la existencia no desaparece: ahora va unida al reconocimiento de los factores histórico-sociales que determinan al hombre. Prueba de ello son poemas como "El pobre" (*Lívida luz*, 1960), "Valium 10" (*En la tierra de en medio*) o "Telenovela" (*Otros poemas*). Ya no más la queja dolorida por la ausencia del amado. Ya no más el lamento por la soledad. Ahora la escritora exclama:

> quisiera agradecer a quien se debe
> tantas hermosas cosas que he tenido.
>
> Muchas veces la tierra me ofreció su mejilla
> de durazno maduro;
> muchas veces el aire se revistió de música,
> muchas veces las nubes, las nubes, sí, las nubes. . .[37]

O canta con alegría, como en estos versos del "Himno":

> Después de todo, amigos,
> esta vida no puede llamarse desdichada.
> En lo que a mí concierne, por ejemplo,
> recibí en proporción justa, en la hora exacta
> y en el lugar preciso y por la mano
> que debe dar, las dádivas.
>
> Así tuve los muertos en la tumba,
> el amor en la entraña,
> el trabajo en las manos y lo demás, los otros,
> a prudente distancia
> para charlar con ellos, como vecina afable
> acodada en la barda.[38]

Vista así –como a vuelo de pájaro– su producción literaria, podemos formular la pregunta: ¿cuál es su concepción de la literatura?

Si aceptamos –conforme al pensamiento de F. Perus– que "la literatura busca ofrecer una representación-expresión sensible de lo 'vivido', lo 'sentido', lo 'percibido' ",[39] no es aventurado afirmar que la práctica literaria de RC intenta reconstituir la realidad para impugnarla. En otras palabras, su actividad literaria va asociada a una actividad conscientemente social y su recreación de la realidad implica algo más que un simple enfrentamiento del lector con una serie de hechos descarnados y escuetos: se trata de una captación de la realidad obje-

[37] RC, "Acción de gracias", en *PNET*, p. 216.
[38] "Himno", en *Ibidem*, pp. 219-220.
[39] F. Perus, *op. cit.*, p. 33.

tiva que, filtrada al través del tamiz de la experiencia subjetiva del escritor, es entregada al lector como "una representación concreto-sensible" del mundo[40] Es decir, las " 'vivencias', 'sentimientos' y 'percepciones' que la práctica literaria se propone representar y expresar", señala la ensayista, "no son en rigor las estructuras sociales mismas [. . .] sino los *efectos* objetivos y subjetivos de tales estructuras".[41] De tal manera, los temas abordados por RC: la injusticia socioeconómica en Chiapas, la explotación del indígena y la opresión de la mujer, así como la forma en que están desarrollados, nos permiten aprehender el carácter invisible de la ideología global junto con los conflictos imperantes en el México de esos días.

Al examinar la prosa narrativa de RC, podemos apreciar el devenir histórico de la concepción de la cultura y, específicamente, de la cultura femenina. En otras palabras, la educación aristocrática y ornamental se convierte en saber práctico, es decir, en una forma específica de conocimiento y transformación de la realidad social. RC presenta esta transmutación dentro de un marco determinado: la transformación de México de país esencialmente agrario y latifundista en nación industrial y capitalista. Pero no sólo las estructuras socioeconómicas se ven afectadas, sino todos los órdenes de la vida, incluyendo las relaciones humanas y sitemas de valores que las rigen.

En su obra encontramos, por una parte, los conflictos del ser humano y su realización como individualidad subjetiva y ser social a la vez y, por la otra, la transformación general de las estructuras y del concepto de la función social de la cultura. Transformación que adopta la forma de dos núcleos problemáticos unidos entre sí: Chiapas y la mujer como tal.

Cuando RC habla de Chiapas, nos ofrece un panorama cabal de la descomposición de la sociedad tradicional, sobre la que alcanza una visión de conjunto que le permite reconstituir todos los niveles de determinación. El telón de fondo de sus relatos adquiere contornos precisos que se manifiestan aun a través de diálogos aparentemente insustanciales y que esconden, en realidad, una pintura exacta de sexo, raza y clase social:

– [. . .] Tú tampoco has logrado que se acostumbre a los zapatos.
– Le sacan ampollas.
– Es que son finos. Hay que empezar por el principio. Lo que necesita son chanclas de tennis.
– ¿Con qué cara me presento yo en la zapatería para comprar eso?
– Di que es por tus juanetes, chatita.
– Los he soportado mi vida entera sin quejarme, nena. A estas alturas no voy a dar mi brazo a torcer.

40 *Idem.*
41 *Ibidem*, p. 34.

– ¿Y si dijéramos que es para una criada?
– ¿Calzar a una criada? ¿Dónde se ha visto? ¡Nadie volvería a hablarnos![42]

Los zapatos son aquí símbolo de varias cosas: aquéllos habituados a usarlos desde su infancia pertenecen a la clase social elevada –los ladinos–, son gente educada y fina, con una posición económica desahogada. Los señores, pues, no calzan "chanclas de tennis", propias de la recién surgida clase media y que ha ascendido ya los primeros peldaños de la escala social, sin alcanzar aún el privilegio de usar zapatos. Propietarios de pequeños negocios, no son gente adinerada y respetan las barreras que los separan de los ladinos. Las criadas –los indios– van descalzos y ni por asomo se piensa en contrariar las costumbres. Sus pies encallecidos y sus vestidos harapientos los relegan a olvidado lugar, aunque se les necesita como bestias de carga.

No es éste un ejemplo aislado en la cuentística de RC. Los productos con que comercian los habitantes de Jobel revelan también el estrato socioeconómico de compradores y vendedores:

Que un indio adquiera en la Calle Real de Guadalupe velas para sus santos, aguardiente para sus fiestas, aperos para su trabajo, está bien. La gente que trafica con ellos no tiene sangre ni apellidos ilustres, no ha heredado fortunas y le corresponde ejercer un oficio vil. Que un indio entre en una botica para solicitar polvos de pezuña de la gran bestia, aceite guapo, unturas milagrosas, puede tolerarse. Al fin y al cabo los boticarios pertenecen a familias de medio pelo, que quisieran alzarse y alternar con las mejores y por eso es bueno que los indios los humillen frecuentando sus expendios.

Pero que un indio se vuelva de piedra frente a una joyería. . . Y no cualquier joyería, sino la de don Agustín Velasco, uno de los descendientes de los conquistadores, bien recibido en los mejores círculos, apreciado por sus colegas, era, por lo menos, inexplicable.[43]

Luego entonces, indios, ladinos y "familias de medio pelo" conviven y dependen unos de otros, dentro de una sociedad inmutable y rígida que estipula, de manera inflexible, oficios, ambiciones, nombre y fortuna de sus miembros.

Esta perspectiva totalizadora culmina en *Oficio de tinieblas*, donde RC intenta una visión global de la sociedad chiapaneca y una reconstitución crítica de la misma, en cuyo interior despunta (sin menoscabo del equilibrio del conjunto) el núcleo temático de la mujer. La obra ocupa destacado sitio dentro de la corriente indigenista, justamente a causa de la fidelidad con que la autora ha reconstruido el ambiente chiapaneco y la pugna existente entre el orden viejo y el

[42] RC, "Vals 'Capricho'", en *CFA*, p. 38.
[43] RC, "La suerte de Teodoro Méndez Acubal", en *CR*, p. 54.

orden nuevo. Sin disminuir en nada el valor de la novela, Sommers ha señalado que en ella existen "dos fuentes centrales de contradicción ideológica". La primera "proviene de la antítesis irreconciliable entre la historia –el cuadro que enmarca los acontecimientos de la sociedad ladina– y el aura mítica que impregna la conciencia y la visión del mundo de los tzotziles".[44] Lo que puede traducirse: los ladinos, cuyo representante principal es Leonardo Cifuentes, han aprendido las lecciones de la historia y saben valerse de los medios y canales adecuados para someter con puño férreo a los indígenas, que no son gente de razón. Estos, por el contrario, continúan presos de la tradición, la magia y los mitos, especialmente el del sacrificio y la resurrección. Estas dos concepciones del mundo, de suyo incompatibles, llegan a un enfrentamiento violento en la rebelión de los tzotziles, cruelmente sofocada.

La segunda fuente de contradicción "incluye combinaciones de forma y significación ideológica, que son, en algunos aspectos, históricamente progresistas y socialmente críticas, mientras en otros parecen regresivas o cursivas".[45] De donde concluye Sommers que

> el problema de la escritora es que, habiendo comprendido la falsedad y la ingenuidad del relativismo cultural, debe continuar ateniéndose a ese realismo perspicaz de la clase terrateniente al cual ella se oponía en otros aspectos, pero cuyas visiones del "primitivismo" indio la habían afectado desde la infancia.[46]

Por lo que toca al desarrollo de la mujer, RC lo muestra en dos marcos distintos: el ambiente rural en Chiapas y la sociedad urbana moderna en la ciudad de México. En el primer caso, el problema aparece planteado dentro del medio concreto de la sociedad chiapaneca y parece ser resultado o efecto de estructuras sociales particulares. Además, y como hemos señalado ya, hay una visión global de dicho ambiente. En los relatos cuya acción ocurre en la ciudad de México, los contornos son menos precisos: no hay una visión global de la sociedad capitalina y la autora concentra su atención en la clase media, pequeño-burguesa. Presenta el ambiente en que se mueve la mujer intelectual y en un cuento, "Domingo", intenta la reconstitución del modo de vida de la clase media alta. En estas narraciones, además, la problemática femenina tiende a ser vista como conflicto de la pareja y, en especial, como consecuencia de la dependencia material y espiritual de la mujer respecto al marido, la cual debe resolverse, básicamente, con el trabajo remunerado de la mujer fuera del hogar.

[44] J. Sommers, *op. cit.*, p. 16.
[45] *Idem.*
[46] *Idem.*

Al enfocar la problemática femenina desde el ángulo de la pareja, se ve constreñida a desembocar en un planteamiento de orden moral sobre la relación hombre-mujer y en ésta, como en otras situaciones, recalca la falta de justicia. La solución dista mucho de ser fácil y se dificulta todavía más por la supervivencia de una serie de prejuicios muy arraigados en el núcleo familiar mexicano y a los que RC combate con energía.

Por otra parte, los problemas expuestos fueron *dolorosamente* vividos por RC como mujer, como intelectual, como escritora: "A la problemática nacional el escritor mexicano añade la que le depara su oficio propio,"[47] con irresolubles contradicciones, igualmente dolorosas, que enriquecen y humanizan su obra. Los temas y sucesos tratados son mucho más que mera recreación: forman parte de su experiencia vital desde su primera infancia y de alguna manera quedaron alojados en su espíritu, para manifestarse más tarde en su producción literaria.

A pesar de las diferencias señaladas entre el ambiente chiapaneco y la ciudad de México, y de que la protagonista de "Lección de cocina" tiene poco en común con Emelina, en "Los convidados de agosto", ambas –junto con todas las otras figuras femeninas que desfilan por sus páginas– son impotentes para resolver sus conflictos, carecen de lenguaje y, cuando hablan, lo hacen "con esa voz de musgo que adormece a los recién nacidos, que consuela a los enfermos, que ayuda a los moribundos. Esa voz de quien mira pasar a los hombres tras una vidrieta".[48] Sólo las agresivas escritoras de "Album de familia" parecen haber recuperado la voz. Mas su palabra no se alza con eco creativo. Josefa, Aminta, Elvira y Victoria se agreden, se menosprecian y se destruyen, pero ponen de relieve algo importante: su entrega al quehacer intelectual es incompleta. ¿Por qué? Por miedo de perder la pareja y por otro riesgo todavía mayor: el rechazo de la comunidad. Es por ello que Victoria recrimina:

> Entonces ¿por qué no se entregaron por completo? ¿Por qué quisieron conservar sus rasgos humanos? ¿Engañar a los demás haciéndoles creer que eran iguales, que eran inofensivos, que no eran monstruos? Porque querían nadar y guardar la ropa. Querían tener ese calor de la compañía, del afecto; esa confianza con la que los demás se acercan entre sí, husmeando al que pertenece a su especie, buscando con quién emparejarse. Querían estar seguras, amparadas por su rango social y no se atrevieron a exhibirse en su desnudez última, en su verdad.[49]

Las atemoriza, sobre todo, la soledad: no la soledad metafísica del

[47] RC, "Tendencias de la narrativa contemporánea", en *MP*, p. 137.
[48] RC, "La muerte del tigre", en *CR*, p. 18.
[49] RC, "Álbum de familia", en *AF*, p. 148.

ser humano –fiel compañera en el tránsito por la vida–, sino la carencia de afecto humano, de la compañía de los semejantes, ese tener que "abrirse paso entre el oleaje embravecido y mantenerse a la deriva en alta mar porque la tierra firme [las] rechaza".[50] Es duro, también, perder la seguridad que otorga el pertenecer a un grupo. El cuestionamiento y la rebeldía ante las normas sociales conllevan graves peligros: "el individuo tiene poco que ganar siendo marginal y, como tal, rechazado; corre incluso el peligro, si no puede afrontar la pugna con la sociedad, de caer realmente en la anormalidad."[51] El alto costo que la mujer tiene que pagar por su autoafirmación es causa de que muchas prefieran todavía aceptar lo establecido y de que la resistencia al cambio se dé con mayor fuerza precisamente "entre las mujeres mismas que temen el precio que deban pagar por el ejercicio de un derecho, por el cumplimiento de una misión, por el desarrollo de sus potencialidades".[52]

Una y otra vez insiste RC en que el desarrollo intelectual de la mujer –cualquiera que éste sea– implica la imposibilidad de una vida afectiva llena de plenitud. De aquí que colocada la mujer ante esta disyuntiva opte, en la mayoría de los casos, por abandonar su crecimiento intelectual. Y es por ello que debemos considerar un aspecto de capital importancia en el pensamiento de RC: la redefinición de términos en las relaciones de la pareja.

Deseosa de que el hombre y la mujer puedan establecer entre sí una relación basada en la justicia y la armonía –y siempre con hambre insaciable de alcanzar en su vida personal este tipo de comunicación con el hombre–, no advierte, como lo hemos mencionado, que la permutación de las estructuras mentales es insuficiente para operar el cambio de una relación sadomasoquista a una relación sana a menos que vaya acompañada de una transformación social. Y aun cuando en los ensayos escritos a principios de los setentas podemos observar una evolución de sus planteamientos en este sentido: "lo que en un principio se nos apareció como un destino inmutable [. . .] se nos vuelve de pronto una relación dinámica en que los atributos de cada uno dependen de una serie de circunstancias económicas y políticas", todavía cree que dicha relación puede y "debe ser modificada hasta elevarla al nivel de la justicia."[53] Así, sostiene que para ello "bastaría cambiar nuestra escala de valores, bastaría proponer otras normas de conducta."[54] Y afirma: "Porque los sentimientos no son algo dado

[50] *Ibidem*, p. 146.

[51] M. Dufrenne, *op. cit.*, p. 187.

[52] Dolores Cordero, "Rosario Castellanos: la mujer mexicana, cómplice de su propio verdugo", en *Revista de Revistas*, núm. 22 (1o. nov., 1972), p. 26.

[53] RC, "El amor en Simone de Beauvoir", en *JS*, p. 271.

[54] RC, "Lo que por sabido se calla. La educación sentimental", en *Excelsior* (13 oct., 1971), p. 8-A.

por la naturaleza sino creado por la cultura. Porque los sentimientos, como todo el resto de las aptitudes humanas, se educan."[55]

Dado el marco histórico en que transcurre su vida, era casi imposible que percibiera el alcance de las condiciones socioeconómicas. Es por ello también que su enfoque está dirigido a combatir dogmas, mitos, prejuicios y costumbres, es decir, las formas de pensamiento que sustentan nuestra cultura:

> Es preciso no sólo que cambien las situaciones concretas, los hechos reales, sino que la conciencia colectiva e individual desheche los mitos a cuya falsedad hay que añadir su inoperancia o, lo que es peor, su condición de estorbo, a los que tan irracionalmente aún se apega.[56]

Para combatir la desarmonía, la rivalidad, la incomprensión entre hombre y mujer, adopta RC una posición moralista y apela a la unión de los contrarios:

> Porque mientras más se coloquen lo masculino y lo femenino en los polos opuestos de lo positivo y lo negativo, de la forma y la materia, del receptáculo y la lluvia vivificante, de las potencias tenebrosas y el astro solar, más imposible será en el lapso breve, limitado por tantos obstáculos de una vida humana, que un hombre y una mujer puedan encontrarse y complementarse y recuperar la plenitud original que sólo se da en la pareja.[57]

La relación hombre-mujer supone, a nivel de pareja, la existencia de un sentimiento de tipo amoroso. El amor, en la obra de RC, dista mucho de ser un sentimiento creativo: "He escrito mis poemas de amor con cenizas", confiesa a Emmanuel Carballo en 1962 y añade: "El amor es un elemento catastrófico."[58] Y como tal lo presenta en prosa y poesía: triste, doloroso, conflictivo y amenazado siempre de abandono. Años después –cuando en 1973 publica *Mujer que sabe latín*–, insiste: "yo he concebido siempre al amor como uno de los instrumentos de la catástrofe", [59] aunque ahora su confesión se matiza con la sensibilidad y la sabiduría que le ha enseñado la vida:

> No porque no llegue a la plenitud ni logre la permanencia. Es lo de menos. Lo de más es que, como a San Pablo, nos quita las escamas de los ojos y nos miramos tales como somos: menesterosos, mezquinos, cobardes. Cuidadosos de no arriesgarnos en la entrega y de no comprometernos en la recepción de

[55] *Idem.*
[56] RC, "El amor en Simone de Beauvoir", en *JS*, pp. 271-272.
[57] *Ibidem*, p. 275.
[58] Emmanuel Carballo, "Rosario Castellanos. La historia de sus libros contada por ella misma", en "La Cultura en México", núm. 44 (19 dic., 1962), p. IV.
[59] RC, "Si 'poesía no eres tú' entonces ¿qué?", en *ML*, p. 203.

los dones. El amor no es consuelo, sentenciaba Simone Weil. Y añadía lo terrible: es luz. [60]

Nuestra sociedad occidental, la sociedad de la culpa,[61] tiene poco lugar para el amor como fuerza positiva:

En la educación que recibimos, en los marcos culturales en que nos movemos ¿hay algún sitio reservado al amor? No. Nadie nos enseña a amar a nadie. A Dios hay que temerlo; a los padres hay que honrarlos; a los maestros que atenderlos.

Con los amigos uno se divierte; con los compañeros hace una carrera o desempeña un trabajo.

Al jefe se le obedece, al subordinado se le manda, al genio se le admira, al monstruo se le desprecia, al desdichado se le compadece, al extraviado se le corrige, al ignorante se le enseña, al desvalido se le ayuda, al pobre se le da limosna. ¿Por amor? ¿Con amor? Ocasionalmente, a veces. Pero el amor no es ni un fin esencial ni un medio indispensable en ninguno de los contactos que hemos mencionado.[62]

Luego entonces, ¿qué es el amor para RC? Y ¿qué debería ser para todos nosotros? Ella misma nos da una bella respuesta:

Amar es reconocer que el otro existe. Que es libre y que tiene derecho a la felicidad. Amar no es poseer ni entregarse, sino comunicarse. Y para decir con palabras de otro lo que creo, mi definición del amor es la de Saint-Exupéry: "No la mirada de uno hacia su pareja, sino la mirada de la pareja hacia un punto común". Es decir, el dinamismo, la libertad. [63]

Ideal amoroso que, al no realizarse en su vida personal, toma forma concreta en su actividad intelectual y, específicamente, en la literatura: "Escribir es nacer de nuevo, en un mundo inocente, traspasado de belleza, 'donde amor no es congoja'."[64]

Conciliar las contradicciones, función primordial de todo artista, es también motivo de inquietud para RC. Pero en ella se vuelve más angustiante porque significa la conciliación de su educación provinciana y sus convicciones, de los mitos y la realidad. Se entabla así en

[60] *Idem.*
[61] Véase "Culturas con sentimiento de pundonor y con sentimiento de culpabilidad", en J. Rof Carballo, *Urdimbre afectiva y enfermedad* (Introducción a una medicina dialógica), p. 231 y sigs.
[62] RC, "Lo que por sabido se calla. La educación sentimental", en *Excelsior* (13 oct., 1971), p. 8-A.
[63] D. Cordero, *op. cit.*, p. 27.
[64] RC, "Violette Leduc: la literatura como vía de legitimación", en *ML*, p. 72.

su espíritu una lucha, perceptible en su obra, que se resuelve con el triunfo de las ideas –la comprensión intelectual de los problemas–, aunque con manifestaciones inconscientes de esa herencia cultural que le fue transmitida en actitudes, ademanes, gestos y cosmovisión en general. Sólo en función de esta pugna es posible entender los límites de la concepción de RC: subjetivismo frente a objetivación, es decir, el conocimiento de las causas profundas subyacentes a los hechos cotidianos, y sólo así se explican también los desajustes que aparecen en su obra y que se comprenden por el dilema de su vida:

> Cuando descubrí que era mujer... Es decir, cuando fui sintiendo que tenía ya un papel determinado por el hecho de ser mujer, y que existía una gran discordancia entre lo que ese papel me imponía en un país como México y lo que yo quería y podría ser.[65]

Educada en Comitán y en el seno de una familia conservadora y tradicional, su personalidad se fue modelando lentamente conforme a los patrones usuales de conducta de ese tipo de sociedad:

> La transmisión cultural, en todo proceso educativo, y de manera muy principal en el que se realiza en los primeros meses y años de la vida, se hace más por las formas inarticuladas que por las configuraciones precisas y concretas. Así, por ejemplo, una madre cree estar transmitiendo a su hijo unas pautas de conducta, unas normas, una "educación". En efecto, esto ocurre; pero no se transmite sólo lo que la madre *quiere* transmitir. O lo que ella –u otra persona tutelar– *piensan* que transmiten. Imperceptibles, pero también indelebles, sobre el niño están actuando sutilísimas formas intervalares, marginales, que son absolutamente ó relativamente inconscientes para la persona mayor, para el adulto.[66]

Dicho de otra manera, la personalidad depende no sólo de los genes o de las formas culturales que con plena conciencia transmiten los padres al niño, sino de multitud de influencias comunicadas imperceptiblemente, pero también en forma inexorable, y que se alojan, por lo común, en el inconsciente, para manifestarse después, en la edad adulta, de variados modos.

Heredera de una familia tradicional, a RC se le inculcaron pautas de conducta propias del ambiente chiapaneco, uno de los estados más alejados de las influencias perturbadoras de la modernidad. Modernidad que causa espanto a sus coterráneos con el rompimiento del orden social que hasta entonces se había considerado eterno y que

[65] Alaide Foppa, "Adiós a Rosario Castellanos", en *Los Universitarios*, núm. 31 (15-31 ago., 1974), p. 6.
[66] J. R. Carballo, *op. cit.*, p. 458.

se revela en su obra a través de distintos personajes: el anónimo desconocido a quien se aferra Emelina, en "Los convidados de agosto", Julia Acevedo, en *Oficio en tinieblas,* o el aviador gallardo y risueño de "Vals 'Capricho' ". ¿Cuál es la reacción de las gentes de Chiapas ante este fenómeno? Idéntica a la de Reinerie y sus tías frente al piloto: "Les humillaba la soledad y no querían romperla gracias a un advenedizo cuyo linaje ignoraban y cuyo oficio –por el mero hecho de significar dependencia y escasez de dinero e imposibilidad de ocio– despreciaban."[67] Luego, con actitud desdeñosa y altiva.

Cuando niña experimenta también la sensación de ser poco agraciada, al menos conforme al ideal de belleza prevaleciente en esos días. Para los jóvenes comitecos tienen poco valor el espíritu generoso, la inquietud intelectual, la curiosidad insaciable: " 'Me sentí tan fea de adolescente –confiesa a Alaide Foppa– en un mundo en que el solo valor apreciado en la mujer era la belleza.' "[68]

Sufre también la preferencia al hijo varón, tema expuesto con amplitud en *Balún Canán* y al que posteriormente dedica muchas páginas:

> yo no era un niño (que es lo que llena de regocijo a las familias), sino una niña. Roja y berreante en los días iniciales, pataleadora y sonriente en los que siguieron, no alcanzaba yo a justificar mi existencia ya no digamos con alguna virtud como la belleza o la gracia, pero ni siquiera con el parecido a algún antepasado de esos que, como dejan herencia, son siempre recordados entre suspiros.[69]

Aunque expresado con ironía, deja traslucir el dolor de la mujer por algo que está completamente fuera de su control: su sexo. Y por algo todavía más triste:

> En cuanto padecí de cierto grado de conciencia me di cuenta de que andaba yo en muy malos pasos. Y de que si seguía por ese camino dejaría de ser considerada como superflua (que ya lo era) para entrar en la categoría de eliminable.[70]

Este sufrimiento impulsa a RC a emprender la tarea encaminada a restituir a la mujer el lugar que le corresponde en la sociedad, no como ser devaluado y accesorio, sino como existencia propia "necesaria y resplandeciendo de sentido, de expresividad y de hermosura".[71]

La soltería es otro de los temas que llaman su atención. Quizá convenga recordar en este momento que RC se casó a los treinta y tres

[67] RC, "Vals 'Capricho'", en *CDA*, p. 52.
[68] A. Foppa, *op. cit.*, p. 6.
[69] RC, "Génesis de una embajadora", en *UP*, p. 220.
[70] *Idem.*
[71] RC, "La mujer y su imagen", en *ML*, p. 21.

años, edad un poco tardía y cuando ya se piensa, por lo general, que la mujer permanecerá soltera. Y es precisamente su manejo de este problema lo que nos permite apreciar con mayor claridad el doble nivel de configuración de su personalidad: el nivel afectivo –alimentado por todas sus vivencias infantiles– y el nivel de comprensión intelectual.

La actitud madura y socialmente crítica, propia del nivel intelectual y reflejada en sus ensayos –donde abiertamente impugna que la soltería sea para la mujer estigma o deshonor–, se ve eclipsada en su obra de creación por la actitud infantil o regresiva que irrumpe desde el inconsciente como respuesta automática ante determinado estímulo y que es producto de la herencia cultural transmitida de generación en generación. En "Lección de cocina" y "El viudo Román", la protagonista se siente dichosa de haber alcanzado el "rango de señora", lo que implica que las solteras quedan fuera de la jerarquía social. En "Cabecita blanca", la señora Justina reprocha sin cesar a Lupe, la hija soltera, justamente esto: su soltería, menospreciando los rasgos valiosos de su conducta (por ejemplo, el trabajo) y justificando a la otra hija tan sólo por haberse casado.

Esta misma actitud aparece también en la poesía:

> Yo soy una señora: tratamiento
> arduo de conseguir, en mi caso, y más útil
> para alternar con los demás que un título
> extendido a mi nombre en cualquier academia.
>
> Así, pues, luzco mi trofeo y repito:
> yo soy una señora. . .[72]

Orgullo y satisfacción que hacen un violento contraste con la humillación y tristeza de "Jornada de la soltera":

> Da vergüenza estar sola. El día entero
> arde un rubor terrible en su mejilla.
> (Pero la otra mejilla está eclipsada.)
>
> La soltera se afana en quehacer de ceniza,
> en labores sin mérito y sin fruto. . .[73]

Ahora bien, esta forma de estructuración de la personalidad, consecuencia de las influencias recibidas en los primeros años de vida del ser humano, ha sido ampliamente estudiada por psiquiatras y psicoanalistas y dista mucho de ser algo inusual. Por ejemplo, J. Rof Carballo opina que

[72] RC, "Autorretrato", en *PNET*, pp. 298-299.
[73] "Jornada de la soltera", en *Ibidem*, p. 175.

La importancia de estos "fantasmas" infantiles radica, en primer lugar, en que, en contra de lo que algunos creen, no sólo existen también en el adulto, en situaciones patológicas, "neuróticas", sino que *forman parte constitutiva de toda conducta normal.*

En segundo lugar, no desaparecen con la infancia, sino que están ahí, en todos nosotros, sirviendo de respaldo, fondo o sustrato a todo cuanto hacemos; son ellos los que determinan nuestra forma de andar, el gesto de desvío que iniciamos cuando alguien se aproxima demasiado a nuestro cuerpo, el tono de nuestra voz cuando interpelamos a alguien con cariño o con encono, los que intervienen cuando *nos negamos a ver* una realidad dolorosa que nos concierne.[74]

Y la vida infantil y adolescente de RC estuvo llena de experiencias conflictivas que la lastimaron, grabándose en su subconsciente, y a las que hizo frente, ya adulta, con espíritu de superación —por vía de la razón— o de sublimación —a través de la literatura. Si en sus primeros escritos encontramos una queja dolorida, más adelante el lamento es sustituido por la risa que unas veces se presenta irónica y sarcástica y otras va teñida de lágrimas: "¡Y necesitamos tanto reír porque la risa es la forma más inmediata de la liberación de lo que nos oprime, del distanciamiento de lo que nos aprisiona!"[75] Sin embargo, las vivencias angustiosas de su infancia se manifiestan de pronto como contradicciones o desajustes y son también ellas las que explican su planteamiento en términos morales o éticos. Su falta de visión crítica de la sociedad capitalista obedece a otras causas.

Cuando Lázaro Cárdenas asume la presidencia del país en 1934, RC tiene apenas nueve años, es decir, la etapa formativa de su vida transcurre en un mundo en gestación: México deja de ser una sociedad latifundista y rural para convertirse en un país de incipiente desarrollo industrial. Durante estos años se opera igualmente una transformación en la ideología: se derrumba para siempre la estructura latifundista y surge, en su lugar, una sociedad industrial y urbana. Al desplomarse la concepción feudal del mundo, desaparece también el sistema de valores que la caracterizaba. Pero el cambio a nivel de las estructuras mentales se efectúa con mayor lentitud: los individuos se aferran a patrones de vida caducos y agotados —que se expresan a través de formas sociales antiguas— porque el cambio implica riesgos y provoca miedo ante lo desconocido. Es por ello que RC siente la necesidad de combatir mitos y dogmas y de destacar la importancia de las ideas.

La doctrina cardenista que impulsó la reforma agraria lesionó los intereses de los Castellanos, despojándolos no sólo de tierras, sino

[74] J. R. Carballo, *op. cit.*, pp. 132-133.
[75] RC, "La participación de la mujer mexicana en la educación formal", en *ML*, p. 39.

–lo que es más grave aún– "de todas las certidumbres en las que se habían apoyado durante siglos".[76] RC escucha, entonces, las protestas de sus mayores en contra del reparto de la tierra y de la educación obligatoria de indios y ladinos, en tanto que su natural inclinación a la justicia la obliga a tomar el partido de débiles e indefensos. Pero no puede sustraerse al impacto de esta situación antagónica: de ahí su impotencia para impedir que en su obra afloren por instantes, como dice Sommers, las "visiones del 'primitivismo' indio [que] la habían afectado desde la infancia".[77]

En su análisis de la problemática de la mujer mexicana en el siglo veinte, se remonta hasta los fundamentos primarios de la sociedad tradicional, indicando con claridad las remanencias o lastres que estas formas sociales oponen al desarrollo íntegro de la mujer. Al apoyar su concepción del problema sobre bases éticas, pierde de vista que

> toda tentativa por liberar a las mujeres de los mitos de la pasividad, de la mujer objeto sexual, etcétera, no son más que piadosos deseos si una no se interesa en destruir la dependencia económica que justamente la obliga a esa pasividad, a representar ese papel de objeto. Es decir, si no se ataca la función económica y política de la célula familiar burguesa en la que la mujer está encerrada.[78]

En México, la igualdad jurídica, auspiciada desde 1937 por una iniciativa cardenista, se concreta en 1946, cuando durante el régimen alemanista se concede a la mujer el derecho al voto. Pero la reforma legal fue insuficiente:

> Desde que en México se concedieron a la mujer los derechos cívicos, nos llenamos la boca hablando de la igualdad conquistada. Y sin embargo, basta el más somero análisis de las circunstancias reinantes para comprender que es una igualdad como la de los indios en relación con los blancos: legal , pero no real.[79]

Igualdad por la que luchó RC con la literatura, con voz valiente y sabia. Dura y severa en ocasiones, risueña y alegre las más, porque "la risa, ya lo sabemos, es el primer testimonio de la libertad".[80]

Si ahora nos preguntáramos, ¿qué fue la literatura para RC?, podríamos responder valiéndonos de las palabras de Simone de Beauvoir: "una actividad ejercida por los hombres, para los hombres, a fin

[76] RC, "El hombre del destino", en *UP*, p. 205.
[77] *Vid.* n. 46 de este capítulo.
[78] C. Broyelle, *op. cit.*, p. 15.
[79] RC, "Las indias caciques", en *UP*, p. 31.
[80] RC, "Si 'poesía no eres tú' entonces ¿qué?", en *ML*, p. 207.

de revelarles el mundo; y esta revelación es una acción."[81] Literatura-acción que, en el caso de RC, se convierte en instrumento de transformación de la realidad. Cultura que pierde su carácter decorativo para adquirir una dimensión social. Literatura comprometida que echa por tierra normas de conducta consideradas inamovibles, desplegando ante los ojos de la mujer un mundo nuevo, rico en oportunidades de crecimiento, que la aguarda, una vez que ella se decida a emprender el camino de la libertad, de una vida responsable y fecunda.

[81] Jean-Paul Sartre, Simone de Beauvoir *et al.*, *¿Para qué sirve la literatura?*, p. 67.

CONCLUSIONES

La vida de Rosario Castellanos (1925-1974) transcurre durante una etapa decisiva en la formación del México moderno. En 1925 hacía escasos cuatro años que la Revolución había llegado a su término; sin embargo, el país estaba muy lejos de encontrar la paz y el camino necesarios para su pleno desarrollo. Entre 1921 y 1934 continúa el proceso de pacificación y la escena política se ve dominada por dos caudillos: Álvaro Obregón y Plutarco Elías Calles, quienes buscan la forma de terminar definitivamente con las insurrecciones. Cuando Calles asume la presidencia –y durante el período conocido como el "Maximato"–, los postulados de la Revolución quedan relegados: es más importante proporcionar a la nación un cierto grado de estabilidad y fomentar el desarrollo de la economía. En 1934, Lázaro Cárdenas recibe el poder de manos de Abelardo Rodríguez y lleva a la práctica el programa de reformas sociales que había servido de estímulo para la movilización de las masas.

Aunque considerada por lo general como una lucha esencialmente agraria, ya que se dio íntimamente ligada al problema de la tierra, la Revolución fue, en realidad, un movimiento democrático-burgués encaminado a romper las trabas que la estructura oligárquica oponía al pleno desarrollo capitalista de México. Los ejércitos estuvieron integrados por campesinos y obreros ansiosos de liquidar un régimen autoritario que les vedaba cualquier tipo de participación en la vida pública o de progreso material: "El pueblo fue un aliado transitorio de la facción más progresista de la burguesía porque coincidieron en un aspecto: el antimperialista, y le tocó cobrar una mínima parte en el reparto de oportunidades de libertad y progreso."[1]

Madero y Carranza, de extracción burguesa, propietarios de tierras y ganado, representaban ante todo a su clase social, aunque con una distinción importante: deseaban rescatar las principales fuentes de riqueza, arrebatándoselas al capital extranjero, con la intención de fomentar una industria nacional y desarrollar el mercado interno. De ahí que Madero se esforzara por negociar con Porfirio Díaz reformas de carácter político, al mismo tiempo que consideraba prudente acceder a algunas demandas campesinas y obreras.

Aun cuando Madero aparentaba estar dispuesto a llevar a cabo la reforma agraria devolviendo la tierra a los campesinos, lo cierto es que no pensaba cumplir las promesas del *Plan de San Luis* al pie de la letra. Por su parte, los campesinos, que habían sido efectivamente despojados de sus parcelas por funcionarios y latifundistas rapaces, creyeron en las palabras del líder y tomaron las armas para hacerlas realidad.[2]

Madero dejaba traslucir su ignorancia de la verdadera causa del descontento popular al decir: "el pueblo no pide pan, pide libertad."[3] Error lamentable ya que –como afirma Silva Herzog– "no puede haber libertad sin pan, porque el pan es la base de la libertad"[4] y que le impidió actuar con firmeza en momentos que así lo requerían. Confusión de conceptos que lo imposibilitó para tomar medidas enérgicas tendientes a resolver la desigualdad social.

En demanda de la tierra, símbolo del poder y la riqueza, los campesinos obligan a los jefes revolucionarios a comprometerse a la reforma agraria. A su vez, éstos necesitan del apoyo de los grupos populares para oponerse a la oligarquía nacional y extranjera, con miras a establecer un sistema económico de libre competencia. Aceptan, por tanto, impugnar el régimen de tenencia de la tierra. Entre ambos se establece una alianza nacional, antimperialista, en contra de la estructura oligárquica dependiente. En otras palabras, los problemas nacionales se antepusieron –y se anteponen todavía– a los problemas de clase.

Al grito de "Tierra, Libertad, Justicia y Ley", los zapatistas se lanzan a la lucha y toman en sus manos el problema del reparto de la tierra, sobre todo cuando se sienten defraudados por Madero. Villa combate con éxito al ejército federal y sus muchas victorias contribuyen, de alguna manera, al triunfo de la fase armada de la Revolución. No obstante sus méritos, Zapata y Villa

encarnan un movimiento que –pese a su justificación social, al poder que

[1] Helena Beristáin, *Reflejos de la Revolución Mexicana en la novela*, p. 27.
[2] *Vid*. Jesús Silva Herzog, *Breve historia de la Revolución Mexicana. I*, p. 153.
[3] Francisco I. Madero citado por J. Silva Herzog, en *op. cit.*, p. 147.
[4] J. Silva Herzog, *op. cit.*, p. 145.

temporalmente alcanzó y a sus hechos heroicos— estaba condenado a fracasar, por no tener conciencia clara ni de sus medios ni de sus fines. Por ello, la mayor parte de las capas burguesas y pequeñoburguesas se volvió en 1915 hacia la fuerza que prometía edificar un orden nacional burgués: El Constitucionalismo, con su caudillo Venustiano Carranza.[5]

Carranza era hombre de posición acomodada, "seguro de sí mismo, de aristas morales bien cortadas, sabía lo que quería, obcecado, de fuerte personalidad, se crecía ante las dificultades y era reacio a contraer compromisos".[6] Pronto surgen las desavenencias entre los jefes de los tres contingentes principales, pero, al eliminar a Zapata y a Villa, aliándose con Obregón, Carranza se convierte en jefe máximo, al menos por un tiempo.

Pronto también se hacen notar los intereses propios de cada clase social y, en la reunión del Congreso Constituyente de Querétaro,

> Los pequeños burgueses con uniforme de generales revolucionarios, en parte dirigidos por Obregón y representados especialmente por Múgica, infligieron una derrota a Carranza y su bosquejo de una Constitución de tipo clásico liberal, e impusieron una redacción radical al Artículo 3o. (educación popular), al 33 (derecho de propiedad de la nación sobre la riqueza del suelo) y al 123 (derechos sociales de los trabajadores).[7]

Los latifundios continuaban inafectados. De hecho, y antes de que Cárdenas impusiera el cumplimiento de la reforma agraria, ésta sólo había servido como instrumento de manipulación de las masas campesinas. Obregón puso especial cuidado en la educación rural y en la política agraria, con moderados repartos de tierra, pero al asumir Calles la presidencia, se dio prioridad al desarrollo de un capitalismo nacional. En cuanto al problema de la tierra, durante el callismo se pensó más bien en una "economía agraria basada tanto en una pequeña o mediana parcela como en la hacienda, a la que no se pensó eliminar".[8]

Cuando Lázaro Cárdenas llega al poder en 1934, decide llevar a cabo la reforma agraria y, poco tiempo después, toma las medidas necesarias para la nacionalización de los recursos básicos. Respecto al régimen de tenencia de la tierra, creía que el ejido era la mejor solución y confiaba en que contribuiría eficazmente a resolver el problema agrícola de México:

> la institución ejidal tiene hoy doble responsabilidad sobre sí: como régimen social, por cuanto libra al trabajador del campo de la explotación de que fue

[5] A. Dessau, *op. cit.*, pp. 36-37.
[6] Berta Ulloa, "La lucha armada", en *Historia de México. IV*, p. 62.
[7] A. Dessau, *op. cit.*, p. 37.
[8] Lorenzo Meyer, "El primer tramo del camino", en *Historia de México. IV*, p. 132.

objeto, lo mismo en el régimen feudal que en el individual; y como sistema de producción agrícola, por cuanto pesa sobre el ejido, en grado eminente, la responsabilidad de proveer a la alimentación del país.[9]

En apoyo de su política agraria, Cárdenas reorganizó el sistema financiero de la agricultura. El Banco Nacional de Crédito Agrícola, establecido durante el gobierno de Calles, se dividió en dos instituciones distintas, cada una de ellas con funciones claramente delimitadas: el Banco Nacional de Crédito Ejidal y el Banco Nacional de Crédito Agrícola.[10] Es decir, el ejido no eliminaba la existencia de la pequeña propiedad, pero sí desaparecía el latifundio.

La inquietud por el petróleo y demás productos del subsuelo atraía desde hacía tiempo la atención de los dirigentes políticos nacionalistas. Madero se había mostrado preocupado por esta cuestión y dispuso, como primera medida, el registro de las compañías petroleras que operaban en México. Como los resultados no fueron satisfactorios, ordenó a la Dirección de Aduanas que hiciera una investigación sobre estas empresas y expidió, además, un decreto que estipulaba el pago de impuestos sobre petróleo crudo:

> El 3 de junio de 1912 puede considerarse como una fecha trascendental en la historia petrolera del país. En este día se expidió el primer decreto que establece un impuesto sobre el petróleo crudo, que vino a constituirse por primera vez en el país como una fuente de ingresos para la administración mexicana.[11]

Años más tarde, Carranza estimó conveniente reglamentar las actividades de los consorcios extranjeros que explotaban los yacimientos petrolíferos. Sostuvo que todo el petróleo existente en el subsuelo era propiedad de la nación; dio por terminada la exención de impuestos de que disfrutaban las compañías y estableció como requisito obligatorio que, previo a la perforación de cualquier pozo, éstas deberían solicitar los permisos de explotación correspondientes.[12] Tales disposiciones le acarrearon, como era de esperarse, la enemistad y la franca oposición del gobierno de los Estados Unidos. Ante la amenaza de una posible intervención armada, Carranza se vio forzado a ampliar el plazo para las denuncias y a conceder permisos temporales de explotación.

En julio de 1921, y deseoso Obregón de obtener el reconocimiento de los Estados Unidos, se apresuró a adoptar una política conciliatoria, quedando sin aplicación los decretos carrancistas relativos al petróleo y a las propiedades agrícolas de los extranjeros residentes en

[9] Lázaro Cárdenas citado por Arnaldo Córdova, en *La política de masas del cardenismo*, p. 98.
[10] *Vid. Ibidem*, p. 108.
[11] José López Portillo y Weber citado por J. Silva Herzog, en *op. cit.*, p. 275.
[12] *Vid.* B. Ulloa, *op. cit.*, pp. 103-104.

México. Con el advenimiento de Calles al poder, el problema de los intereses petroleros y de los latifundios ganaderos norteamericanos cobró nuevo vigor. Calles tomó algunas disposiciones al respecto, pero las presiones del gobierno de los Estados Unidos, reclamando el pago oportuno de la deuda externa, así como las compensaciones por las propiedades agrícolas incautadas, obligaron a Calles a modificar, en 1927, la ley reglamentaria del artículo 27 constitucional, elaborada por la Secretaría de Industria, Comercio y Trabajo conforme a sus instrucciones.

Era obvio, pues, que la política del grupo dirigente desistía una vez más de su intento por controlar a los grandes enclaves extranjeros. Cada uno a su modo, Madero, Carranza y Calles habían tratado de rescatar las riquezas naturales y de poner coto a las operaciones de estas empresas. Mas las circunstancias no les habían sido propicias y habría que esperar hasta 1938 para que la expropiación petrolera se consumara. Cárdenas tomó esta decisión al "considerar favorable tanto la situación internacional –que mantenía la atención de los Estados Unidos centrada en el peligro fascista– como la interna: el apoyo que tenía en ese momento entre los sectores populares era innegable".[13]

Estos grupos populares a los que Cárdenas había concedido especial atención desde que fue gobernador de Michoacán, constituían, justamente, el arma más importante de su política de desarrollo: "La organización de los trabajadores será la que pueda realizar el desarrollo de la economía nacional cuando logre que el trabajo tenga la participación que le corresponde en la producción."[14] Confiaba en que los organismos obreros y campesinos y el cooperativismo poco a poco irían "transformando el régimen económico de la producción y distribuyendo la riqueza entre los que directamente la producen".[15]

Dentro de su programa de reformas sociales, elaborado con la idea de liberar a los sectores oprimidos de la miseria, Cárdenas dio gran impulso a la instrucción popular. Comprendía que, para alcanzar mejores resultados, era preciso también combatir el fanatismo religioso y el alcoholismo, dos grandes males de nuestro pueblo. La reforma educativa, que llegó hasta los confines más remotos del país, incluyó, entre los marginados, a mujeres e indios.

La educación rural se convirtió en un factor importante para el cambio político y social. Además de la instrucción elemental e implantación de nuevas técnicas para el mejoramiento de las actividades productivas, los maestros rurales desempeñaron un papel importante en el aspecto social y contribuyeron a la reforma agraria, movi-

[13] L. Meyer, *op. cit.*, p. 164.
[14] Lázaro Cárdenas citado por A. Córdova, en *op. cit.*, pp. 37-38.
[15] *Ibidem*. p. 75.

lizando a los campesinos y obligándolos a presionar desde la base. "Feminista incondicional", como le llama Arnaldo Córdova, Cárdenas se ocupó de la problemática femenina con particular empeño. Deseoso de incorporar a la mujer a la vida económicamente productiva, y a fin de concederle la igualdad jurídica –al fin concretada en 1946 cuando se aprobó su derecho al voto–, tomó las medidas necesarias para que ello fuera posible. Creía indispensable que las mujeres se organizaran, en forma similar a campesinos y obreros, para luchar por sus derechos y participar en el crecimiento del país.

> La mujer es un factor necesarísimo para lograr con mayor éxito el progreso de los pueblos. Organicemos agrupaciones femeninas que nos presten su poderosa ayuda tomando parte en las actividades deportivas, en la campaña antialcohólica, en la desfanatización, en las obras de beneficencia, en fomentar la Instrucción Pública y en todo aquello para lo cual esté capacitada la mujer, seguros de que con la cooperación de este decisivo elemento lograremos dar un verdadero impulso a los pueblos que están trabajando por su bienestar.[16]

Gracias a su decisión y su carácter, Cárdenas vistió a México con nuevos atavíos. Lo que él deseaba –e hizo posible– era la desaparición de un sistema de vida esclerosado y caduco que pretendía sustituir con otro más justo y equitativo. En 1940, al entregar el poder a Ávila Camacho, le entregó también un país estable y organizado, a punto de convertirse en una sociedad urbana, moderna e industrial.

Hemos trazado, a grandes rasgos, el proceso evolutivo de México durante los años formativos de Rosario Castellanos, proceso que nos permite delinear, asimismo, el marco histórico necesario para comprender su pensamiento.

En 1925, y a pesar de que otras regiones del país habían experimentado ya bruscos cambios sociales, en Chiapas seguían todavía vigentes las relaciones sociales propias de un sistema de vida de tipo feudal. Es decir, relaciones de tipo personal y de obligaciones y deberes mutuos. En este tipo de sociedad los conflictos no podían ser vividos como problemas individuales sino primordialmente de castas.

Pocos años después la familia Castellanos se instala en la ciudad de México, donde lentamente empieza a gestarse una sociedad capitalista propiciada por la Revolución democrático-burguesa de 1910, con la que pasan a primer plano las nociones de libertad e igualdad en las que se funda la posibilidad del desarrollo de la individualidad.

En efecto, las relaciones sociales de producción propias del capitalismo, basadas en la compra-venta de la fuerza de trabajo, descansan en la libertad e igualdad *jurídica* de los hombres. Libertad e igualdad jurídica que, junto con la concepción de una virtual esencia humana susceptible de realizarse en cada individuo, articulan la contradicción

[16] *Ibidem*, p. 32.

propia de toda sociedad capitalista, ya que encubren al mismo tiempo la desigualdad real de los individuos concretos y las relaciones de explotación en que se funda el capitalismo.

Ahora bien, la existencia de una sociedad capitalista es, sin lugar a dudas, la que permite a Rosario Castellanos presentar el problema de la realización de la mujer como individuo, como parte de la esencia humana, independientemente de su sexo. Cuando vive en Chiapas, se familiariza con el modo de vida feudal, con los patrones de pensamiento y normas de conducta propios de este tipo de sociedad. A su llegada a la ciudad de México, se ve inmersa en una sociedad capitalista, donde se exalta la libertad e igualdad de los seres humanos. Surge entonces la inquietud por la condición de la mujer, alimentada por todas sus vivencias infantiles. Surgen también el desafío y la alternativa y ella escoge rebatir y poner en tela de juicio la concepción del mundo transmitida por sus figuras tutelares. Sin embargo, su crítica no alcanza a rebasar una formulación en términos abstractos y filosóficos.

Las circunstancias particulares de la Revolución no favorecieron el desarrollo autónomo (como clase) de los trabajadores, ya que campesinos, obreros, pequeñoburgueses y burgueses formaron una alianza en contra de la oligarquía y el imperialismo. Llevados del deseo de rescatar las riquezas del subsuelo, de defender los proyectos de interés nacional, de recuperar la tierra, de desarrollar el mercado doméstico, estos grupos antepusieron siempre los problemas nacionales a los problemas de clase: por lo mismo no ha podido darse, ni siquiera en el plano de las organizaciones políticas, el desarrollo de una visión crítica de las estructuras derivadas de la Revolución.

Habida cuenta de estos antecedentes, y al no estar históricamente dadas las condiciones históricas y políticas necesarias para sustentar otro tipo de análisis, era imposible que Rosario Castellanos pudiera plantear su crítica en forma diferente:

> Si no se puede pensar al individuo fuera de la sociedad y, por consiguiente, si no se puede pensar ningún individuo que no esté históricamente determinado, es evidente que todo individuo, también el artista, y toda actividad suya, no puede ser pensada fuera de la sociedad, de una sociedad determinada.[17]

No obstante estas limitaciones, su palabra y su obra son factores definitivos para que la mujer mexicana de hoy sienta el apremio de transformarse y, al hacerlo, transformar el mundo.

[17] Antonio Gramsci citado por Manuel S. Garrido, en "Gramsci. La discusión abierta de nuestro tiempo", en "El Gallo Ilustrado", núm. 786 (17 jul., 1977), p. 14.

BIBLIOGRAFÍA DE ROSARIO CASTELLANOS

Álbum de familia. México, Joaquín Mortiz, S. A. [1975]. 155 pp. (Serie del Volador).

Balún-Canán, 4a. reimpresión. México, FCE [1973]. 291 pp. (Col. popular, 92).

Ciudad Real. México, Organización Editorial Novaro, S. A. [1974]. 198 pp.

Los convidados de agosto, 3a. ed. [México], Biblioteca ERA [1975]. 201 pp.

El eterno femenino (Farsa), Presentación de Raúl Ortíz. México, FCE [1975] 204 pp. (Col. Popular, 144).

Juicios sumarios (Ensayos). Xalapa, Universidad Veracruzana, 1966. 434 pp. (Cuadernos de la Facultad de Filosofía Letras y Ciencias, 35).

"Lo que por sabido se calla. La educación sentimental", en *Excelsior* (México, 13 oct., 1971), pp. 7, 8-A.

El mar y sus pescaditos. México, Secretaría de Educación Pública, 1975. 200 pp. (SepSetentas, 189).

Mujer que sabe latín. . . México, Secretaría de Educación Pública, 1973. 220 pp. (SepSetentas, 83).

La novela mexicana contemporánea y su valor testimonial. México, Instituto Nacional de la Juventud Mexicana [1966]. 21 pp. (Cuadernos de la Juventud, 3).

Oficio de tinieblas, 4a. ed. México, Joaquín Mortiz [1975]. 368 pp.

Poesía no eres tú (Obra poética: 1948-1971). México, Fondo de Cultura Económica [1972]. 347 pp. (Letras Mexicanas) Reúne: *Apuntes para una declaración de fe, Trayectoria del polvo, De la vigilia estéril, El rescate del mundo, Poemas: 1953-1955, Al pie de la letra, Salomé y Judith, Lívida luz, Materia memorable, Versiones, En la tierra de en medio, Diálogos con los hombres más honrados, Otros poemas y Viaje redondo.*

Rostros de México, Fotografía de Bernice Kolko, texto de. . . México, UNAM, 1966. pp. 7-22.

Sobre cultura femenina. México, Eds. de "América", Revista Antológica, 1950. 127 pp.

El uso de la palabra, Pról. de José Emilio Pacheco. México Eds. de *Excelsior* [1974]. 313 pp. (Serie Crónicas, 1).

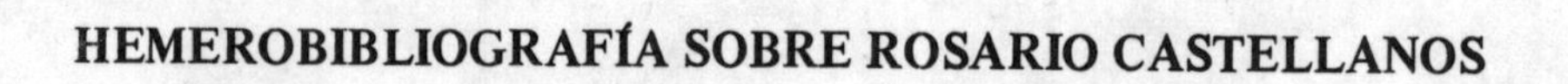

HEMEROBIBLIOGRAFÍA SOBRE ROSARIO CASTELLANOS

ACOSTA, Marco Antonio, "Rebeldes lamentaciones de Rosario Castellanos", en "Diorama de la Cultura", Supl. Cultural de *Excelsior*, dominical (México, 7 ago., 1977), pp. 10-11.

A Rosario Castellanos, sus amigos. Publ. especial del Año Internacional de la Mujer. México, Cía. Impresora y Litográfica Juventud, 1975. 80 pp. [Colaboran: Alejandro Avilés, Héctor Azar, Julieta Campos, Dolores Castro, Beatriz Espejo, Mauricio González de la Garza, Otto-Raúl González, Eduarde Iturbe, Roberto López Moreno, Froylán López Narváez, Ma. del Refugio Llamas, Sergio Magaña, Margarita Michelena, Óscar Oliva, Carlos Pellicer, Javier Peñalosa, Elena Poniatowska, Altaír Tejeda, Ramón Xirau, Agustín Yáñez y Adelina Zendejas].

CALDERÓN BARTHENEUF, Germaine Victoria, *La obra poética de Rosario Castellanos*. México, 1977. Tesis, UNAM, Facultad de Filosofía y Letras. 161 pp.

CAMPOS, Jorge, "Novelas e ideas de Rosario Castellanos", en *Insula*, mensual, año XIX, núm. 211 (Madrid, jun., 1964), p. 11.

CARBALLO, Emmanuel, "Rosario Castellanos", en *Diecinueve protagonistas de la literatura mexicana del siglo XX*. México, Empresas Editoriales, S. A. [1965], pp. 411-424.

— — "Rosario Castellanos. La historia de sus libros contada por ella misma", en "La Cultura en México", Supl. Cultural de *Siempre!*, semanal, núm. 44 (México, 19 dic., 1962), pp. II-V.

CARREÑO, Mada, "*Álbum de familia*, Justine y el ángel", en *La Vida Literaria*, mensual, núm. 30 (México, dic., 1972), pp. 12-13.

CASTRO LEAL, Antonio, "*Dos poemas dramáticos. Poesía no eres tú*", en *La Vida Literaria*, mensual, núm. 30 (México, dic., 1972), pp. 5-6.

CORDERO, Dolores, "Rosario Castellanos: 'la mujer mexicana, cómplice de su verdugo'", en *Revista de Revistas*, publ. semanal de *Excelsior*, núm. 22 (México, 1o. nov., 1972), pp. 24-27.

CRESTA DE LEGUIZAMÓN, María Luisa, "En recuerdo de Rosario Castellanos", en *La Palabra y el Hombre*, trim., Revista de la Univ. Veracruzana, nueva época, núm. 19 (Xalapa, jul-sep., 1976), pp. 3-18.

DIGGLE, Ruth W., *El lenguaje, medio de liberación en la obra de Rosario Castellanos*. (Ensayo seguido de la traducción al inglés de "El viudo Román"). México, 1973. Tesis, UNAM, Dirección de Cursos Temporales. 128 pp.

FOPPA, Alaide, "Adiós, a Rosario Castellanos", en *Los Universitarios*, quincenal, Dir. Gral. de Difusión Cultural, UNAM, núm. 31 (México, 15-31 ago., 1974), p. 6.

FRENK ALATORRE, Margit, "*Sobre cultura femenina*", en "México en la Cultura", Supl. Cultural de *Novedades*, dominical, núm. 97 (México, 10 dic., 1950), p. 7.

GRAY, Jerome Biddle Corbett Alexandre de, *Rosario Castellanos. ¿Literatura antropológica o literatura de ficción?* México, 1970. Tesis, UNAM, Dirección de Cursos Temporales. 113 pp.

GUILLÉN, Fedro, "Rosario la de Chiapas", en *La Vida Literaria*, mensual, núm. 30 (México, dic., 1972), pp. 14-15.

HANFFSTENGEL, Renate von, *El México de hoy en la novela y el cuento*. México [Eds. de Andrea], 1966, pp. 31-32, 36-41, 65-66, 67-71.

LABASTIDA, Jaime, *El amor, el sueño y la muerte en la poesía mexicana* (antología), Pról. de. . . México, Edit. Novaro, 1969, pp. 60-63.

MEGGED, Nahum, "Entre soledad y búsqueda de diálogo", en *Los Universitarios*, quincenal, Dir. Gral de Difusión Cultural, UNAM, núm. 31 (México, 15-31 ago., 1974), pp. 4-5.

MILLÁN, María del Carmen, "En torno a *oficio de tinieblas*", en *Anuario de Letras*, Revista de la Facultad de Filosofía y Letras, UNAM, año III (México, 1963), pp. 287-299.

MILLER, Beth, "El feminismo mexicano de Rosario Castellanos", en *Mujeres en la literatura*. México, Fleischer Editora [1978], pp. 9-19.

— — "Personajes y personas: Castellanos, Fuentes, Poniatowska y Sáinz", en *Mujeres en la literatura*. México, Fleischer Editora [1978], p. 69.

— — "Voz e imagen en la obra de Rosario Castellanos", en *Revista de la Universidad de México*, mensual, vol. XXX, núm. 4-5 (México, dic.-ene., 1975-1976), pp. 33-38.

MILLER, Jo Ann, *La problemática de la mujer en Rosario Castellanos*. México, 1972. Tesis, UNAM, Escuela de Verano. s/p.

MUÑIZ, Angelina, "*Los convidados de agosto*", en "Diorama de la Cultura", Supl. Cultural de *Excelsior*, dominical (México, 8 nov., 1964), pp. 4, 8.

PACHECO, José Emilio, "Rosario Castellanos o la rotunda austeridad de la poesía", en *La Vida Literaria*, mensual, núm. 30 (México, dic., 1972), pp. 8-11.

PEÑALOSA, Javier, "Noticias literarias importantes del mes en México" [reseña a *Los convidados de agosto*], en *Nivel*, mensual, núm. 21 (México, 25 sep., 1964), p. 4.

PONIATOWSKA, Elena, "Rosario Castellanos", en *Los Universitarios*, quincenal, Dir. Gral de Difusión Cultural, UNAM, núm. 31 (México, 15-31 ago., 1974), p. 3.

REYES NEVARES, Beatriz, "La mujer, fracaso político", en *Siempre!*, semanal, núm. 558 (México, 4 mar., 1964), p. 41.

— — *Rosario Castellanos*. México, Depto. Editorial, Secretaría de la Presidencia, 1976, 64 pp.

SOMMERS, Joseph, "El ciclo de Chiapas: nueva corriente literaria", en *Cuadernos Americanos*, bimestral, año XXIII, vol. CXXXIII, núm. 2 (Guatemala, mar.-abr., 1964), pp. 246-261.

— — "*Oficio de tinieblas*", en *Nexos* (Sociedad, ciencia, literatura), mensual, núm. 2 (México, feb., 1978), pp. 15-16.

— — "Rosario Castellanos: nuevo enfoque del indio mexicano", en *La Palabra y el Hombre*, trim., Revista de la Univ. Veracruzana, II época, núm. 29 (Xalapa, ene.-marz., 1964), pp. 83-88.

SULLIVAN, Deborah Ann, *Tres cuentistas mexicanos: Juan de la Cabada, José Revueltas y Rosario Castellanos*. México, 1968. Tesis, UNAM, Dirección de Cursos Temporales, pp. 75-108, 114-119, 126-129, 132-133.

URRUTIA, Elena, "Los últimos libros en prosa de Rosario Castellanos", en *Los Universitarios*, quincenal, Dir. Gral. de Difusión Cultural, UNAM, núm. 31 (México, 15-31 ago., 1974), pp. 7-8.

VITALE, Ida, "El México apasionante de Rosario Castellanos" [reseña a *Ciudad Real*], en "Diorama de la Cultura", Supl. Cultural de *Excelsior*, dominical (México, 14 jun., 1964), pp. 3, 8.

BIBLIOGRAFIA GENERAL

ACUÑA, Manuel, "Nocturno" (A Rosario), en *Obras*. Poesías, teatro, artículos y cartas, Ed. y pról. de José Luis Martínez. México, Edit. Porrúa, 1949 (Col. Escritores Mexicanos, 55), pp. 191-192.

— — *El pasado*. Ensayo dramático en tres actos y en prosa, en *Obras*. Poesías, teatro, artículos y cartas, Ed. y pról. de José Luis Martínez. México, Edit. Porrúa, 1949 (Col. Escritores Mexicanos, 55), pp. 277-330.

ALAS, Leopoldo, "Revista literaria", en *El Partido Liberal*, t. XV, núm. 2478 (México, 16 jun., 1893), p. 2.

ALTAMIRA Y CREVEA, Rafael, "La mujer española a través de la historia", en *Cuadernos Americanos*, trim., vol. CCXVII, núm. 2 (México, mar.-abr., 1978), pp. 177-140.

ANÓNIMO, "The New Morality", en *Time*, vol. 110, núm. 21 (New York, 21 nov., 1977), pp. 50-56.

ANÓNIMO, "What Next for U.S. Women", en *Time*, vol. 110, núm. 23 (New York, 5 dic., 1977), pp. 21-26.

ANÓNIMO, "Women March on Houston", en *Time*, vol. 110, núm. 22 (New York, 28 nov., 1977), pp. 14-16.

ARANDA, Clara Eugenia, "El sistema capitalista y la explotación de la mujer", en *La mujer: explotación, lucha, liberación*. México, Edit. Nuestro Tiempo [1976] (Col. Temas de Actualidad), pp. 191-208.

— — "La mujer y la lucha por el socialismo", en *La mujer: explotación, lucha, liberación*. México, Edit. Nuestro Tiempo [1976] (Col. Temas de Actualidad), pp. 309-350.

ARREOLA, Juan José, "La implantación del espíritu", en *Imagen y realidad de la mujer*, ensayos comp. por Elena Urrutia. México, Secretaría de Educación Pública [1975] (SepSetentas, 172), pp. 44-61.

ARREOLA, Teresa, "La emancipación de la mujer: historia y teoría", en *La mu-*

jer: explotación, lucha, liberación. México, Edit. Nuestro Tiempo [1976] (Col. Temas de Actualidad), pp. 209-260.

AZUELA, Mariano, *Mala yerba*, 4a. ed., Pról. de José Ma. González de Mendoza. México, Eds. Botas, 1945. 262 pp.

— — *3 novelas de Mariano Azuela. La Malhora, El desquite, La luciérnaga*. México, FCE [1968] (Col. Popular, 89), pp. 76-177.

BARROS VALERO, Cristina, "Un mueble de lujo bien educado", en *FEM*, trim., vol. 1, núm. 3 (México, abr.-jun., 1977), pp. 89-91.

BEAUVOIR, Simone de, *El segundo sexo. I. Los hechos y los mitos*. Buenos Aires, Eds. Siglo Veinte [1972]. 319 pp.

— — *El segundo sexo. II. La experiencia vivida*. Buenos Aires, Eds. Siglo Veinte [1972]. 519 pp.

— — "¿Para qué sirve la literatura?", en Jean-Paul Sartre, Simone de Beauvoir, *et al.*, *¿Para qué sirve la literatura?*, 3a. ed. en español, Pról. de Noé Jitrik. Buenos Aires, Edit. Proteo [1970], pp. 67-82.

BERISTÁIN, Helena, *Reflejos de la Revolución Mexicana en la novela*. México, 1963. Tesis, UNAM, Facultad de Filosofía y Letras. 99 pp.

BROYELLE, Claudie, *La mitad del cielo. El movimiento de liberación de las mujeres en China*, Prefacio de Han Suyin. México, Siglo XXI Edits. [1975]. 294 pp.

CABADA, Juan de la, "María, 'La Voz'", en *Paseo de mentiras*. México, Edit. Séneca, 1940 (Col. "Lucero"), pp. 165-194.

CALDERÓN, Fernando, *A ninguna de las tres*. Comedia en dos actos, Est. preliminar de Francisco Monterde. México, Eds. de la UNA, 1944. xxix + 200 pp. (BEU, 47).

CARBALLO, J. Rof, *Urdimbre afectiva y enfermedad. Introducción a una medicina dialógica*. Barcelona, Edit. Labor, 1961. 518 pp. (Col. "Hombre y Mundo").

CÁRDENAS, Lázaro, "Combatir la guerra imperialista", en "El Gallo Ilustrado", Supl. Cultural de *El Día*, dominical, núm. 815 (México, 29 ene., 1978), pp. 4-5.

CARDINAL, Marie, *Les mots pour le dire*. París, Bernand Grasset [1975]. 316 pp.

CARRIÓN, Jorge, "La mujer: continente oscuro", en *La mujer: explotación, lucha, liberación*. México, Edit. Nuestro Tiempo [1976] (Col. Temas de Actualidad), pp. 78-112.

CÓRDOVA, Arnaldo, *La política de masas del cardenismo*, 2a. ed. México, ERA, 1976. 219 pp. (Serie Popular ERA, 26).

DESSAU, Adalbert, *La novela de la Revolución Mexicana*, 1a. reimpr. México, FCE [1973]. 474 pp. (Col. Popular, 117).

DUFRENNE, Mikel, *La personalidad básica. Un concepto sociológico*. Buenos Aires, Edit. Paidós [1959]. 290 pp. (Biblioteca de Psicología Socail y Sociología).

FABIÁN, Helena, "Ciertos comentarios generales y algunas literatas", en "El Heraldo Cultural", Supl. Cultural de *El Heraldo de México*, dominical, núm. 648 (México, 16 abr., 1978), pp. 4-5.

— — "Algunas literatas feministas y ciertos comentarios generales", en "El Heraldo Cultural", Supl. Cultural de *El Heraldo de México*; dominical, núm. 650 (México, 30 abr., 1978), p. 8

FERNÁNDEZ, Rosa Marta, 'Sexismo: una ideología", en *Imagen y realidad de la mujer*, ensayos comp. por Elena Urrutia. México, Secretaría de Educación Pública [1975] (SepSetentas, 172), pp. 62-79.

FOPPA, Alaide, "Feminismo y liberación", en *Imagen y realidad de la mujer*, ensayos comp. por Elena Urrutia. México, Secretaría de Educación Pública [1975] (SepSetentas, 172), pp. 80-101.

GAMBOA, Federico, *Santa*, Nota preliminar de Antonio Castro Leal. México, Aguilar [1976]. 375 pp. (Col. Crisol Literario, 71).

GARRIDO, Manuel s., "Gramsci. La discusión abierta de nuestro tiempo", en "El Gallo Ilustrado", Supl. Cultural de *El Día*, dominical, núm. 786 (México, 17 jul., 1977), p. 14.

GUTIÉRREZ NÁJERA, Manuel, 'Cómo mueren", en *El Partido Liberal*, t. XI, núm. 1923 (México, 9 ago., 1891), p. 1.

—— "Crónicas kaleidoscópicas", en *La Libertad*, año VII, núm. 35 (México, 17 feb., 1884), p. 2.

—— *Cuentos completos y otras narraciones*, Pról., ed. y notas de E. K. Mapes, estudio preliminar de Francisco González Guerrero. México-Buenos Aires, FCE [1958], pp. 261-276.

—— *Cuentos y cuaresmas del Duque Job*, Ed. e introd. de Francisco Monterde. México, Edit. Porrúa, 1963. 355 pp. (Col. "Sepan cuantos. . .", 19).

—— "Humoradas dominicales", en *El Partido Liberal*, t. V, núm. 1017 (México, 29 jul., 1888), p. 2.

—— *Poesías completas. I*, Ed. y pról. de Francisco González Guerrero. México, Edit. Porrúa, 1953. 372 pp. (Col. Escritores Mexicanos, 66).

—— *Poesías completas. II*, Ed. y pról. de Francisco González Guerrero. México, Edit. Porrúa, 1953. 409 pp. (Col. Escritores Mexicanos, 67).

—— "Variedades. Humoradas dominicales", en *El Partido Liberal*, t. II, núm. 270 (México, 17 de ene., 1886), p. 2.

—— "Ya no canta la Patti", en *El Partido Liberal*, t. IX, núm. 1476 (México, 9 de feb., 1890), p. 1.

HERRERA, María Romana, "Ladronas de lenguaje", en *FEM*, trim, vol. 1, núm. 1 (México, ene.-mar., 1977), pp. 66-67.

JUANA INÉS DE LA CRUZ, sor, *Los empeños de una casa*, 2a. ed., Pról. de Julio Jiménez Rueda. México, Eds. de la UNA, 1952. 197 pp. (BEU, 14).

—— "Respuesta de la poetisa a la muy ilustre sor Filotea de la Cruz", en *Obras completas de sor Juana Inés de la Cruz. IV. Comedias, sainetes y prosa*, Ed., introd. y notas de Alberto G. Salceda. México, FCE [1957] (Biblioteca Americana, Serie de Lit. Colonial), pp. 440-475.

LEONARDO, Margarita de, "La educación y la mujer mexicana", en *La mujer: explotación, lucha, liberación.* México, Edit. Nuestro Tiempo [1976] (Col. Temas de Actualidad), pp. 59-77.

—— "La mujer y las clases sociales en México", en *La mujer: explotación, lucha, liberación*. México, Edit. Nuestro Tiempo [1976] (Col. Temas de Actualidad), pp. 1-58.

LEVINE, Elaine, "La mujer y el socialismo", en *La mujer: explotación, lucha, liberación*. México, Edit. Nuestro Tiempo [1976] (Col. Temas de Actualidad), pp. 261-308.

MANRIQUE, Jorge Alberto, "El proceso de las artes 1910-1970", en *Historia general de México. IV*. México, El Colegio de México [1976], pp. 285-301.

MARX, Carlos, Federico Engels *et al., La emancipación de la mujer*. México, Grijalbo [1970]. 160 pp. (Col. 70, 2da. serie, 79).

MEAD, Margaret, *Sex and Temperament in Three Primitive Societies*, 7a. ed. New York, The New American Library [1958]. 218 pp.

MEYER, Lorenzo, "El primer tramo del camino", en *Historia general de México. IV*. México, El Colegio de México [1976], pp. 111-199.

—— "La encrucijada", en *Historia general de México. IV*. México, El Colegio de México [1976], pp. 201-283.

MONSIVÁIS, Carlos, "Notas sobre la cultura mexicana en el siglo XX", en *Historia general de México. IV*. México, El Colegio de México [1976], pp. 303-476.

—— "Sexismo en la literatura mexicana", en *Imagen y realidad de la mujer*, ensayos comp. por Elena Urrutia. México, Secretaría de Educación Pública [1975] (SepSetentas, 172), pp. 102-125.

NAVARRO, Joaquina, *La novela realista mexicana*. México, Ed. de la autora [Talls. Gráf. de La Carpeta, S. A.], 1955, pp. 246-312.

OLIVERA, Mercedes, "La opresión de la mujer en el sistema capitalista", en *Historia y sociedad*, Revista Latinoamericana de Pensamiento Marxista, trim., 2a; época, núm. 6 (México, verano, 1975), pp. 3-12.

OLMEDO, Raúl, "Los intelectuales 'comprometidos'", en "Diorama de la Cultura", Supl. Cultural de *Excelsior*, dominical (México, 8 oct., 1978), p. 12.

OTHÓN, Manuel José, *Poesías completas*, Recop., pról. y notas de Joaquín Antonio Peñalosa. México, Edit. Jus, 1974. 512 pp.

PACHECO, José Emilio, *Diario de Federico Gamboa. 1892-1939*, Selec., pról. y notas de. . . México, Siglo XXI [1977] (El Hombre y sus Obras), pp. 15-35.

PALAZÓN, María Rosa, Estudio preliminar a José Joaquín Fernández de Lizardi, *La Quijotita y su prima*. Obras VIII. México, UNAM, Centro de Estudios Literarios (Nueva Biblioteca Mexicana) (En prensa).

PAZ, Octavio, "Juana Ramírez", en *Vuelta*, mensual, vol. 2, núm. 17 (méxico, abr., 1978), pp. 17-23.

PERUS, Françoise, *Literatura y sociedad en América Latina: el modernismo*. México, Siglo XXI Edits. [1976]. 139 pp.

PESCADOR, Martín, "Río revuelto", en *El Partido Liberal*, t. XV, núm. 2445 (México, 5 may., 1893), p. 1.

PESCATELLO, Ann, *Hembra y macho en Latinoamérica*. Ensayos comp. por. . . México, Edit. Diana [1977]. 397 pp.

RAMÍREZ, Ignacio, "Instrucción pública. Artículo III", en *Obras. II*. México, Oficina Tip. de la Secretaría de Fomento, 1889, pp. 186-189.

RAMÍREZ, Santiago, *El mexicano, psicología de sus motivaciones*, 2a. ed. México, Edit. Grijalbo, 1978. 192 pp.

—— "Patrones culturales en la vida genital y procreativa de la mujer, particularmente en México", en *Imagen y realidad de la mujer*, ensayos comp. por Elena Urrutia. México, Secretaría de Educación Pública [1975] (SepSetentas, 172), pp. 126-138.

RAMOS, Samuel, *El perfil del hombre y la cultura en México*, 2a. ed. aumentada. México, Edit. Pedro Robredo, 1938. 182 pp.

RANDALL, Margaret, *Las mujeres*, 2a. ed. Selec. y pról. de. . . Trad. de Alejandro Licona Galdi. México, Siglo XXI Edits. [1971]. 230 pp.

RASCÓN, María Antonieta, "La mujer y la lucha social", en *Imagen y realidad de la mujer*, ensayos comp. por Elena Urrutia. México, Secretaría de Educación Pública [1975] (SepSetentas, 1972), pp. 139-174.

RESNICK, Margery, "La inteligencia audaz: vida y poesía de Concha Méndez", en *Papeles de Son Armadans*, mensual, año XXII, t. LXXXVIII, núm. CCLXIII (Madrid-Mallorca, fe., 1978), pp. 131-146.

ROUVRE, Charles, *Auguste Comte et le catholicisme*. Paris, Place Saint-Sulpice, 1928, pp. 101-116.

SÁBATO, Ernesto, *El escritor y sus fantasmas*. Buenos Aires, Emecé Edits. [1976]. 202 pp.

SEGOVIA, Tomás, "Carta-prólogo a Elena Urrutia", en *Imagen y realidad de la mujer*, ensayos comp. por Elena Urrutia. México, Secretaría de Educación [1975] (SepSetentas, Pública 172),

— — "Fourier y la mujer", en *Imagen y realidad de la mujer*, ensayos comp. por Elena Urrutia. México, Secretaría de Educación Pública [1975] (SepSetentas, 172), pp. 175-190.

SILVIA HERZOG, Jesús, *Breve historia de la Revolución Mexicana. I y II*. 7a. reimpresión. México, FCE [1973]. 382 y 356 pp. (Col. Popular, 17) [I. Los antecedentes y la etapa maderista. II. La etapa constitucionalista y la lucha de facciones].

SOSA, Francisco, "Doña Juana Manuela Gorriti", en *Revista Nacional de Letras y Ciencias. II*. México, Imp. de la Secretaría de Fomento, 1889 (Cuaderno 11), pp. 521-530.

ULLOA, Berta, "La lucha armada (1911-1920)", en *Historia general de México. IV*. México, El Colegio de México [1976], pp. 1-110.

VIGIL, José Ma., *Poetisas mexicanas siglos XVI, XVII, XVIII y XIX*, Antología y pról. de. . . Ed. Facsimilar, Estudio prel. de Ana Elena Días Alejo y Ernesto Prado Velázquez. México, UNAM. Dir. General de Publicaciones, Instituto de Investigaciones Filológicas, Centro de Estudios Literarios, 1977. 357 + IX – LXXVIII + vii – xxxiii pp.

XIRAU, Ramón, *Genio y Figura de sor Juana Inés de la Cruz*, 2a. ed. Buenos Aires, Edit. Universitaria de Buenos Aires [1970]. 175 pp. (Biblioteca de América/Col. Genio y Figura, 16).

Siendo director general de Publicaciones José Dávalos, se terminó la impresión de *La imagen de la mujer en la narrativa de Rosario Castellanos,* en la Imprenta Universitaria, el día 22 de agosto de 1980. La edición consta de 2 000 ejemplares.

Durell bent his head and kissed her.

Her mouth was warm and alive against his. Her fingertips began moving in small persistent circles against his flesh. She breathed faster, pulled away, looked at him from under her lashes and smiled. Then she quickly shoved down the shoulders of her dress until it tumbled to her narrow waist. She wore nothing underneath.

"Now," she whispered. "Now you see me as I really am!"

"Yes."

"Do you want me now?"

"Any man would."

"I'm not interested in just any man. I'm only interested in you, Durell."

She came toward him again, her body hot and smooth and alive—and Durell knew he was trapped. And he knew what he had to do . . .